0.1.2 運動会メニュー

50

親子で楽しめる種目がいっぱい

この本は「あそびと環境0.1.2歳」2009年8・9月号から2019年8月号までに掲載されたものと、「ピコロ」2012年7月号から2018年6月号までに掲載されたものを基に、加筆・再構成したものです。

Gakken

CONTENTS & SEARCH （検索もくじ）

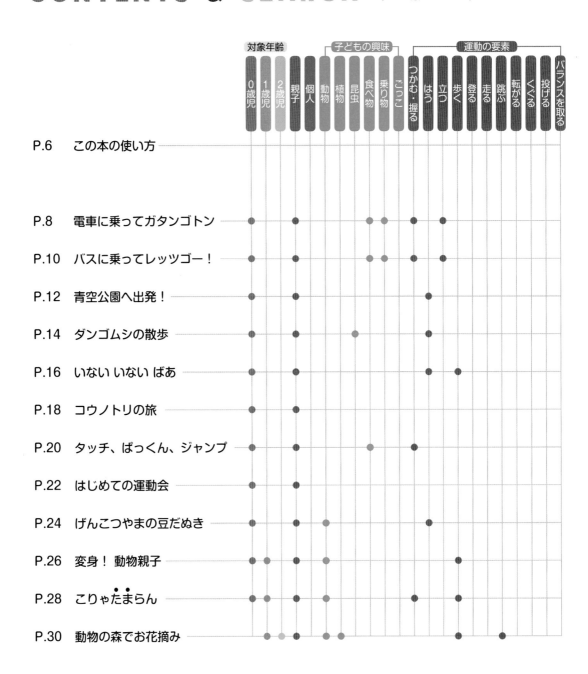

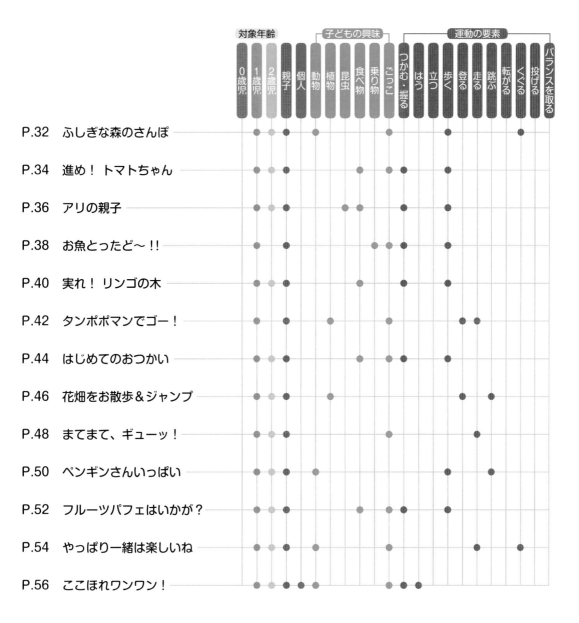

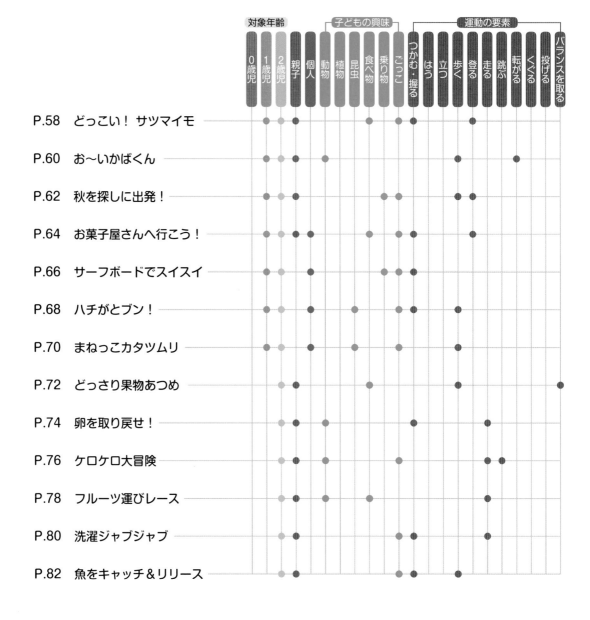

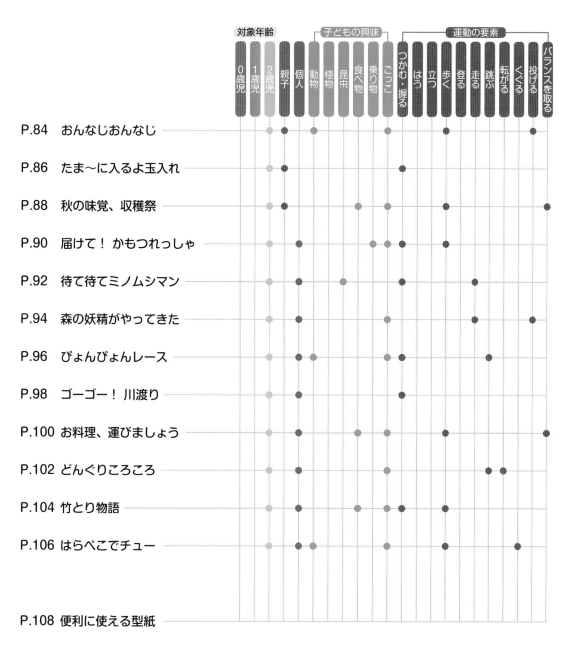

この本の使い方

種目の種類
保護者と一緒に楽しむ親子種目なのか、子どもたちだけで楽しむ個人種目なのかを示しています。

普段の保育で
運動会に向けて、普段の保育でどのようにあそび込んでいけばよいか、普段の保育から種目につなげるアイディアを紹介します。

対象年齢
その運動会種目が楽しめる、子どもの対象年齢（クラス）の目安を示しています。

あそび方
カラーイラストや写真で、あそびのプロセス（＝種目の流れ）をわかりやすく紹介しています。

会場配置
種目ごとに、保育者や子ども、物の配置をイラストでわかりやすく解説しています。

1歳児 2歳児 親子

歌の世界を楽しむ

お～いかばくん

歌でおなじみの「お～いかばくん」。歩いて、川を越えて、「お～いかばくん」と大きな声をかけたり、かばくんに触ったりと、普段の保育で楽しんでいれば、盛り上がること間違いなしです。

案・指導／ジャイアンとばば

普段の保育で
●保育室に新聞紙などで川を作り、カバのまねをしてはいはいごっこをしてあそびましょう。
●段ボール箱で口を開けたかばくんを作り、おもちゃの野菜や果物などを食べさせるまねをして、「おいしいね」「いっぱい食べたね」など、食育につなげてもいいですね。

あそび方

1

親子で手をつないでスタートし、**A**で、子どもが好きなコースを選んで進みます。保護者は子どもの様子に合わせて援助します。マットの上は、転がったりしても楽しいでしょう。

2

Bで、川に見立てたすずらんテープのカーテンをくぐり、**C**へ行きます。

会場配置

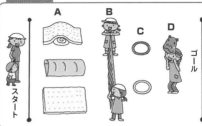

スタート

A B C D

ゴール

A マットで作った山、市販のトンネル、マットの3コースを用意しておく。
B 川に見立てた、すずらんテープのカーテンの両端を保育者が持って立つ。
C かばくんに声をかけるエリアのマークとして、フープを置いておく。
D かばくんのお面を着けた保育者が立っている。または、段ボール箱に色画用紙をはって作ったかばくんを置いて、横に保育者が立ってもよい。

60

製作物や道具の準備

衣装や小道具・大道具など、その種目に使う製作物の準備を、写真や作り方イラストなどで、簡単にわかりやすく紹介しています。

子どもの興味

動物、植物、昆虫、食べ物、乗り物、ごっこ、子どもの興味を6つのカテゴリーに分けて示しています。運動会種目を選ぶ際の参考にしてください。

運動の要素

つかむ・握る、はう、立つ、歩く、登る、走る、跳ぶ、転がる、くぐる、投げる、バランスを取る、主な運動の要素を示しています。運動会種目を選ぶ際の参考にしてください。

子どもの興味　運動の要素
動物　歩く　転がる

準備

●マットや巧技台で作った山
●マット
●かばくんのお面
厚紙に色画用紙をはって作ったかばくんにお面の帯を付けます。お面の帯の作り方は、P.27を参照。

●市販のトンネル

●川に見立てた
すずらんテープのカーテン
すずらんテープを2つ折りにし、1本の長い綿ロープに折り山を引っ掛けて、端を通すようにして結び付けます。

●フープ
かばくんに声をかけるエリアのマークにします。

型紙
P.111

型紙

巻末に型紙がある場合は、そのページ数を示しています。

インデックス

本を閉じたときにもわかりやすいように、対象年齢を色分けしたインデックスにしています。

3

子どもがフープの中に入り、「お〜い！　お〜い！　か〜ば〜く〜ん！」と親子で大きな声で呼びます。かばくんのお面を着けた保育者が、「は〜い！」と返事をします。

4 返事をしてもらったら、Dのかばくんの所へ行き、かばくんにタッチしてゴールします。

お〜い！

は〜い！

1歳児

ワンポイントアドバイス

大きな声を出すことを恥ずかしがる親子もいるので、声が大きい小さいで判断するのではなく、あくまでも親子の雰囲気に合わせます。親子によっては「もっと聞かせて〜」などと言うと、盛り上がります。

この
BGMを
流して

「お〜いかばくん」
作詞／中川いつこ
作曲／中川ひろたか

2歳児

61

おすすめ BGM

この種目にぴったりのおすすめ BGM があるときは、曲名を紹介しています。

ワンポイントアドバイス

保育者が配慮したいポイントなどを紹介しています。

ゲットした果物はプレゼント

電車に乗ってガタンゴトン

子どもを段ボール箱の電車に乗せて、保護者が引っ張ってスタート！　途中、果物を取ってゴールします。ゲットした果物をプレゼントでもらえるのがうれしい種目です。

案・指導／ジャイアンとぱぱ

あそび方

①

子どもを段ボール箱の電車に乗せ、保護者が引いて出発します。

会場配置

スタート

A **B**

ゴール

A 洗濯ばさみを使って、綿ロープにリンゴをつるす。綿ロープの両端は保育者が持って立つ。

B 洗濯ばさみを使って、綿ロープにバナナをつるす。綿ロープの両端は保育者が持って立つ。

準 備

●化繊綿をカラーポリ袋で包んだリンゴ、バナナ

●段ボール箱の電車

① 輪にして結び目を
内側に入れる

内側に折り込んでガム
テープではる

長さ約2mの太めの
綿ロープ

段ボール箱

約22cm

約30cm

約40cm

色画用紙を
はる

②

色画用紙

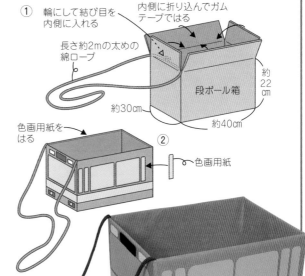

（バナナ）

① 包んで絞る

2つ折りにして
下を折って
セロハン
テープではり
留めた物

②

余分は
切る

絞ってセロハン
テープを巻いた
上からビニール
テープを巻く

（リンゴ）

① 包む

②

余分は切る

※指定外の材料はすべてカラーポリ袋と化繊綿

2

保護者が果物をくぐり、子どもは
電車に乗ったままリンゴを1個取
ります。果物をつるした綿ロープ
の高さは、ロープを持っている保
育者が調整します。

3

❷と同様にバナナも取
って、そのままゴール
します。

普段の保育で

●普段のあそびの中で、段ボール電車に
乗ってみたり、歩ける子は引っ張って
あそんでみたりしながら、電車あそび
に親しみましょう。
●「ガタン、ゴトン」などの言葉の響き
を子どもたちと楽しみましょう。
●綿ロープに、作った果物や好きな物を
ぶら下げて、引っ張るあそびを取り入
れましょう。

こんな
BGMを
流しても

「**線路はつづくよ　どこまでも**」
訳詞／佐木 敏　外国曲
「**汽車ぽっぽ**」
作詞／富原 薫　作曲／草川 信

カラーボールと同じ色の果物を取ろう

バスに乗ってレッツゴー！

段ボール箱のバスに乗って出発！　拾ったカラーボールと同じ色の果物を取ってゴールします。乗り物が大好きな子どもたちにぴったりの種目です。

案・指導／ジャイアンとばば

あそび方

❶ 子どもを段ボール箱のバスに乗せ、保護者が引いて出発します。

普段の保育で

● 段ボール箱のバスに乗ったり、また歩ける子はバスを引っ張ってあそんだり、段ボール箱のバスに親しんでおきましょう。

● ポリ袋で作った果物で、ままごとあそびなどを楽しみ、お気に入りの果物に親しみましょう。

会場配置

スタート

ゴール

A　果物と同じ色のカラーボールを入れた段ボール箱を置く。

B　洗濯ばさみを使って、綿ロープにミカン、ブドウ、バナナをつるす。綿ロープの両端は保育者が持って立つ。

準備

●段ボール箱のバス

① 輪にして結び目を内側に入れる

内側に折り込んでガムテープではる

長さ約2mの太めの綿ロープ

段ボール箱

約22cm
約30cm
約40cm

色画用紙をはる

② 色画用紙

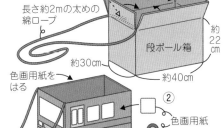

●果物と同じ色のカラーボール
段ボール箱に入れておきます。

●化繊綿をカラーポリ袋で包んだブドウ、バナナ、ミカン

（ブドウ）　　　（バナナ）　　　（ミカン）

① 包んで絞る　　① 包んで絞る　　① 包む

2つ折りにして下を折ってセロハンテープではり留めた物

② 余分は切る
絞ってセロハンテープを巻く
タックシール色紙

② 余分は切る
絞ってセロハンテープを巻く

② 余分は切る

※指定外の材料は全てカラーポリ袋と化繊綿

保護者が子どもをバスから降ろし、子どもは、段ボール箱から好きな色のボールを1個取ります。

保護者が子どもをだっこして、カラーボールと同じ色の果物の所まで行きます。子どもが果物を取り、ゴールします。

一人一人の成長を披露

青空公園へ出発！

園庭を1周して運動会デビュー。子どもたち
が普段あそんでいる姿を見てもらうだけで、
ほのぼのタイムになること間違いなしです。

案・指導／高崎温美（あそび工房らいおんバス）

あそび方

1

保護者が子どもをだっこした
り、おんぶしたり、園で使っ
ているお散歩カーに乗せたり
して、園庭を1周します。

会場配置

スタート

園庭中央にブルーシートなどを敷き、その上に、子ども
がいつもあそんでいる遊具やおもちゃを置いておく。

普段の保育で

● 一人一人の子どもの成長に合
った遊具やおもちゃで、じっ
くりあそびましょう。
● 子どもが、どんなあそびを楽
しんでいるのか、保護者にし
っかりと伝えましょう。

 園庭中央に敷いたブルーシートの上で、子どもの好きなあそびを親子で一緒に楽しみます。

❸ 保育者が子どもの名前を呼んだら、保護者が「たかいたかい」をして子どもを紹介。保育者は、子どもの成長ぶりをコメントして、一人一人を順に紹介します。

親子でスキンシップ
ダンゴムシの散歩

親子で一緒に、はいはいしながらスキンシップ。丸まる、転がるなどの動きをダンゴムシの散歩に見立てたかわいい種目です。

案・指導／小沢かづと

あそび方

1

保護者は子どもをだっこしてスタートラインにつき、合図で順番に、マットの上を親子で「はいはい」をして進みます。

会場配置

スタート

ゴール

スタートラインとゴールのサークルラインを引いて、間にマットを敷いておく。親子の人数に応じて、マットの列を増やしてもいいでしょう。

2 途中、保育者の掛け声に合わせて、いろいろな動きを楽しみます。

だれか来たよ！丸まって

子どもの上に保護者が覆いかぶさります。

転がった　　子どもを抱いて、あおむけになります。

逃げろ！　　はいはいのテンポを速くします。

❸

ゴールのサークルに入って、親子で好きなポーズをします。

▶ 普段の保育で

● はいはいしている子どもに寄り添って、保育者も一緒にはいはいしてあそびましょう。
● はいはいで追いかけっこ、はいはいのテンポを変えてあそぶ、はいはいの途中で子どもに覆いかぶさったり、抱えてあおむけになったり、いろいろな動きを楽しみましょう。

保護者は、ダンゴムシの衣装を着ます。

カラーポリ袋（銀）に新聞紙を入れて形を整えた物に、布リボンを付けて背負います。

準備

● ダンゴムシの触角

1000mlの紙パック
切り取る

① 四隅を切り込み前と後ろの2面を切り取る

①-Bに色画用紙をはって切る
※反対面でもう1枚作る
①-Aに色画用紙をはる

② 輪ゴムを挟んで折り、針先が表に出るようにホッチキスで留める
輪ゴム2本をつなぐ
内側にはる

※針先にはセロハンテープをはって、カバーする

● ダンゴムシの体

① 新聞紙7～8枚を重ね、大人の背中に合わせて適当な大きさに折り、セロハンテープではって形を整える

②

中に入れ、新聞紙に沿って周りを折ってセロハンテープではる
カラーポリ袋（銀）

③ カラーポリテープをはる
カラー布リボン・太をガムテープではる
裏返す

スキンシップしながら親子で探検

いない いない ばあ

はいはいや歩き始めの子どもたちも元気に参加できる種目です。段ボール板で作るトンネルは、子どもたちに合わせて長さを調節するといいですね。

案・指導／ジャイアンとばば

あそび方

①

まだ歩けない子はだっこで、歩ける子は保護者と手をつないでスタートし、トンネルの所まで行きます。

② 子どもは、はいはいでトンネルをくぐります。保護者は出口で子どもを待ちます。

会場配置

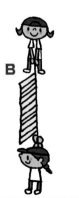

スタート　A　B　ゴール

A　トンネルを置く。トンネルは普段のあそびで使っている物を使っても。

B　すずらんテープの波は、両端を保育者が持って立つ。

準備

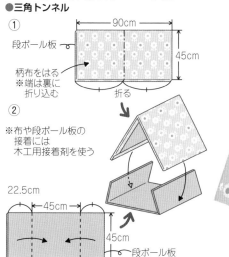

● 綿ロープに、適当な長さのすずらんテープを付けて作った波（作り方は P.19 参照）
● 三角トンネル

① 90cm / 45cm
段ボール板
柄布をはる
※端は裏に折り込む
折る

②
※布や段ボール板の接着には木工用接着剤を使う

22.5cm
45cm / 45cm
段ボール板

③

保護者は子どもをだっこしてすずらんテープの波をくぐり、ゴールします。

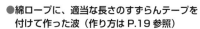

普段の保育で

● いろいろな所から「ばあ！」と顔を出す、「いない いない ばあ」あそびや、少し離れた所にいる保育者まではいはいをしてあそびます。
● トンネルを作って毎日のあそびの中に取り入れ、トンネルに親しむようにしましょう。

バスタオルに乗ってゆらゆら

コウノトリの旅

「コウノトリが赤ちゃんを運んでくる」という言い伝えがありますが、その道のりにはいろいろな困難があるでしょう。森を抜けて、海を渡って……待望の赤ちゃんが生まれるまでを表現した種目です。まだ歩けない子も参加できます。

案・指導／ジャイアンとばば

あそび方

1 バスタオルの真ん中に子どもを乗せ、両端を保護者2人、または保護者と保育者で持ちます。

会場配置

A

B

C

スタート

ゴール

A　段ボール板で作った木を置く。
B　海に見立てた、すずらんテープのカーテンの両端を保育者が持って立つ。
C　マットを置いて、家に見立てる。

段ボール箱のコウノトリで運んでも

歩ける子で、バスタオルから下りようとしたり、運ばれるのを嫌がる子は、段ボール箱のコウノトリに乗って、保護者が引っ張って運んでもいいでしょう。

● 段ボール箱のコウノトリ
P.9の段ボール箱の電車と同様に作り、段ボール板に黒と白の色画用紙をはって作った顔と羽をはります。

② 森に見立てた木の間をくねくねと、子どもを運びながらゆっくりと進みます。

● バスタオル　　● マット

● 段ボール板で作った木

※材料は
すべて段ボール板に
色画用紙をはった物

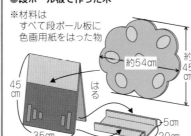

約54cm　約45cm

45cm　はる

35cm　5cm　20cm

● 海に見立てた、
すずらんテープのカーテン
すずらんテープを2つ折りにし、1本の長いすずらんテープに折り山を引っ掛けて、端を通すようにして結び付けます。

③ 海に見立てたすずらんテープのカーテンをくぐります。

④

マットの家に着いたら、マットの上で生まれた赤ちゃんを包むように、子どもをバスタオルで包み、保護者1人がだっこしてゴールします。

▶ ● **普段の保育で**

● 保育者2人がバスタオルを使って子どもを乗せ、歌いながらゆらゆらあそびをして、揺れてあそぶ楽しさを十分に味わえるようにしましょう。
● すずらんテープのカーテンを歩いてくぐったり、はいはいでくぐったりして、感触を楽しみましょう。

タッチやぱっくんあそびがうれしい

タッチ、ぱっくん、ジャンプ

子どもが大好きなタッチや食べさせる
あそびを取り入れました。段ボール箱
の動物は、ウサギだけでなく、いろい
ろな動物で作っても。早めに用意して、
あそび込めるといいですね。

案・指導／ジャイアンとぱぱ

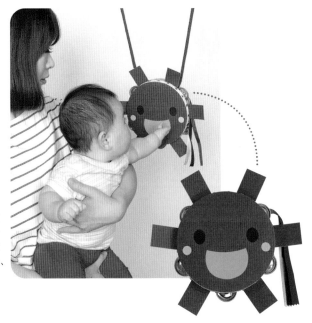

あそび方

①

子どもは保護者と手をつないで歩いて
（歩けない子どもはだっこで）スター
トします。おひさまタンブリンの所に
行ったら、保護者が子どもをだっこし、
タンブリンにタッチします。

会場配置

A ロープにおひさまタンブリンを
つるし、両端を保育者が持って
立つ。

B 段ボール箱で作ったウサギボッ
クスと、かごなどに入れたニン
ジンを置く。

C 洗濯ばさみを使って、ロープに
メダルをつるす。両端は保育者
が持つ。

② 手をつないでウサギボックスの所まで行き、子どもがかごからニンジンを取って、ウサギの口に入れて食べさせます。

③ 再び手をつないでメダルの所まで行き、保護者がだっこしてメダルを取り、ゴールします。

準備

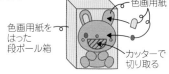

●おひさまタンブリン
タンブリンに色画用紙で顔を付けます。

●綿ロープと洗濯ばさみ

●ウサギボックス
色画用紙を
はった
段ボール箱

色画用紙

カッターで
切り取る

●かご

●ニンジン

① カラーポリ
ロール

新聞紙を丸めて
ニンジンの形に
した物

巻いて包み、
セロハン
テープではる

② 色画用紙
はり合わせる

両面テープ
ではる

余りを絞って
セロハン
テープで巻く

折って
セロハン
テープで
はる

●おひさまメダル

① 柄布をはった
カラー工作紙

切る

② セロハン
テープで
裏にはる

布リボン

色画用紙

木工用
接着剤ではる

▼

普段の保育で

●ミルクの空き缶や穴を開けた空き箱に、おもちゃを入れてあそんでみましょう。

●「おはよう」のあいさつと一緒にタンブリンをたたいて音が鳴ることを楽しんだり、いろいろな所におひさまをはって、タッチしてあそんだりします。

滑り台で保護者の元へ

はじめての運動会

月齢の低い子どもたちも参加できる種目です。巧技台で作る滑り台へは、保育者がその子に合った乗せ方をし、保護者がキャッチします。入園式以来はじめて、みんなに我が子をお披露目できる、楽しい機会になります。

案・指導／南 夢末（あそび工房ゆめみ）

ワンポイントアドバイス

うつぶせ滑り、背中滑りなど、子どもたち一人一人の普段あそんでいる姿がよくわかっている担任の保育者が、その子の好きな向きで滑り台に乗せます。

あそび方

1

保護者は斜面の下で待ち、保育者が子どもを滑らせます。滑り台の保護者寄りにも、補助の保育者が1人つきましょう。

○○ちゃん、滑りま～す！

○○ちゃん、おいで！

② 滑り降りてきた我が子を抱き上げ、お立ち台の上に乗ります。司会役の保育者がマイクを差し出し、保護者に我が子の紹介をしてもらいます。

準 備

● 巧技台で作った滑り台
● お立ち台

お立ち台は、巧技台、または大型積み木などを色画用紙で覆い、市販のパーティー用モールで飾ります。

ひよこぐみの〇〇です。つかまり立ちができるようになりました。

お子さんのお名前と好きなことなど、お願いします。

③

スピーチが終わった親子は、観客席の前を歩いて退場。拍手をもらいます。

普段の保育で

● はじめての滑り台は、はいはいして坂道を上るところから、保育者がしっかり脇を支えて、子どもが滑る楽しさを感じられるようにあそびましょう。怖がる子には、保育者の足を滑り台にしてあそびを楽しめるようにしましょう。
● 人見知りも見られる０歳児ですが、保育者がだっこしてほかのクラスにあそびに行き、ほかの保育者からもたくさん話しかけてもらい、慣れておくようにしましょう。

マット山を越えて、スキンシップ

げんこつやまの豆だぬき

たぬきになった子どもが、マットで作った山をはいはい
で乗り越えると、大好きな保護者が待っています。親子
でいろいろなスキンシップあそびを楽しみましょう。

案・指導／南 夢未（あそび工房ゆめみ）

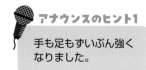

アナウンスのヒント1

手も足もずいぶん強く
なりました。

あそび方

1 保護者は、山の向こう側で
待ち、「ここまでおいで」
と子どもを誘います。

豆だぬきさんが
上手にお山を
越えますよ。

こっちだよ〜

こんな
BGMを
流しても

「げんこつやまのたぬきさん」
わらべうた

普段の保育で

●保育室にもクッションや布団で山を設定して、はいはいを保育者
と一緒に楽しみましょう。保育者は、「こっちだよ」と子どもを
誘い、お山から「ばあ！」と顔を出したり、手を伸ばしたりしま
す。保育者の所に来たら、「たかいたかい」で抱き上げましょう。
「たかいたかい」が苦手な子もいるので、少しずつ顔を見合わせ
て上げていき、子どもの様子をしっかりと見てあそびましょう。

●「げんこつやまのたぬきさん」のリズムに合わせて、だっこでゆ
らゆら揺らしてあそびましょう。

ワンポイントアドバイス

おなじみのあそび歌「げんこつやまの
たぬきさん」をイメージした種目です。
スキンシップあそびは、必ずしも歌に
合わせて行う必要はありません。曲は
あくまで、ＢＧＭとしてエンドレスに
流しておいて、保育者のアナウンスに
合わせて、ゆっくりと行いましょう。

準 備

● 運動マットで作った山

● 子ども用のたぬきのしっぽ

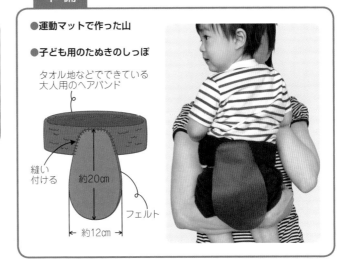

タオル地などでできている
大人用のヘアバンド

縫い
付ける

約20cm

フェルト

約12cm

②

子ども全員がマット山の上り下りを
終えたら、保育者の声かけで、保護
者が子どもをだっこして、いろいろ
なスキンシップを楽しみます。

抱き上げます。

子どもを高く持ち上げます。

左右に揺らします。

アナウンスのヒント2

はじめての運動会。親
子で楽しくあそべまし
た。皆さん温かい拍手
をお願いいたします。

保護者がだっこして、バイ
バイしながら退場します。

スキンシップを楽しむ

変身！動物親子

保護者がお面を着けることで動物の親子に
変身！　サル、コアラ、ペンギン……それ
ぞれにぴったりな動きを親子でしながら、
スキンシップを楽しむ種目にしました。

案・指導／ジャイアンとばば

あそび方

親子で手をつないで
Aまで歩きます。

会場配置

スタート

 A　 **B**　 **C**

ゴール

A　サルのお面を置いておく。
B　コアラのお面を置いておく。
C　ペンギンのお面を置いておく。

普段の保育で

● 「おサルさん、だっこ好きだ
ね」「おんぶするとコアラさ
んみたいだね」「ペンギンさ
んみたいに歩いてみようか」
などと言葉かけしながら、保
育者とふれあいあそびを楽し
みましょう。

準 備

●サル、コアラ、ペンギンのお面

型紙 P.108

（サル）

平ゴムを挟んで折り、針先が表に出るようホッチキスで留める

※針先はセロハンテープをはってカバーする

輪にした細い平ゴム

幅4cm×長さ45cmのカラー工作紙

カラー工作紙や厚紙で裏打ちすると丈夫になる

はる

裏にはる

※指定外の材料はすべて色画用紙

※コアラ、ペンギンのお面も同様にして作る

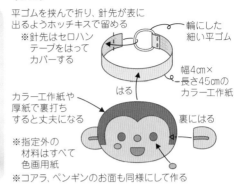

2 保護者は、サルのお面を着け、子どもをだっこして**B**まで行きます。

3 保護者は、コアラのお面に着け替え、子どもをおんぶして**C**まで行きます。

4 保護者は、ペンギンのお面に着け替えます。大人の足に子どもが同じ向きに乗って、ペンギン歩きをしながらゴールします。

※よちよち歩きの子は、手をつなぐだけでもOK。

27

玉が入るかどうかは子ども次第

こりゃたまらん

親子で力を合わせれば、玉入れがさらに楽しくなります！　でも、簡単にはいきません。玉が入るかどうかは、子どもたちの気分次第⁉

案・指導／福田りゅうぞう・すかんぼ

カラー工作紙に平ゴムを付けたクマの耳と、不織布のチョウネクタイを身に着け、保育者がクマに変身！

あそび方

1 「スタート」の合図で、玉が置いてある円の中へ進む。

2 子どもが玉を拾ったら、かごのそばまで進む。保護者は子どもをだっこしたり、持ち上げたりしてもOK。

会場配置

- 2チームに分かれ、保護者と子どもはかごの周りに描いた円を囲んでスタンバイ。
- かごは、段ボール箱に載せる物と、クマになった保育者が持ち上げる物、1チームに2つずつ用意する。

③

子どもは玉をかごに入れたら、ほかの玉を拾いにいき、同様にしてかごに入れる。制限時間は1分30秒。「残り30秒」のコールで、かごを持っている保育者は、円内をあちこち移動する。

④

「終了」の合図の後、「みんながんばったから、クマさんも大喜びだよ」「ありがとう！」などのアナウンスで終了。

▶ 普段の保育で

●普段から、子どもたちが玉を身近に感じ、つかむ、投げる、入れるを楽しめるような環境作りをしておきましょう。保育室のいろいろな所に、玉を入れる場所を作ります。自分のタイミングで入れることを楽しめます。

玉は、子どもだけが触ることができます。歩ける子は、歩いてかごに入れてもOK！

準 備

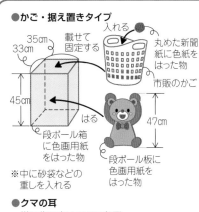

●かご・据え置きタイプ

入れる

35cm
33cm

載せて固定する

丸めた新聞紙に色紙をはった物

市販のかご

45cm

はる

段ボール箱に色画用紙をはった物

47cm

段ボール板に色画用紙をはった物

※中に砂袋などの重しを入れる

●クマの耳
帯の作り方はP.27参照。

●クマのチョウネクタイ

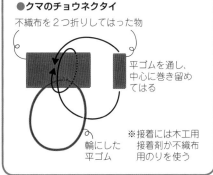

不織布を2つ折りしてはった物

平ゴムを通し、中心に巻き留めてはる

輪にした平ゴム

※接着には木工用接着剤か不織布用のりを使う

動物さんとのふれあいが楽しい
動物の森でお花摘み

草を跳び越えて森に入ったら、好きな動物さんと握手。ちょっぴりストーリー仕立ての種目にしました。摘んだお花は、お土産にして持ち帰ります。

案・指導／ジャイアンとぱぱ

あそび方

保護者と手をつないでスタートし、子どもは草を跳び越えます。保護者は草を挟んで立ち、子どもの両手を持ってジャンプを補助します。

普段の保育で

● ロープやウレタン積み木などを、保育者と一緒に跳び越えるあそびで、ジャンプの楽しさを味わいます。
● お面を怖がらないよう、普段の保育でも使うお面を登場させましょう。
● お花を摘んだ経験があると、種目をより身近に楽しめます。

会場配置

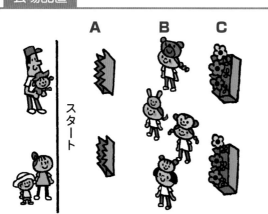

A 紙パックに段ボール板をはった草を置く。
B 保育者が動物のお面を着けて待機する。
C 段ボール箱に花を挿して並べる。

準 備

●草

① 紙パックの四隅を切り込んで折り、ガムテープではって直方体にする
※同様に2本作る

詰める
丸めた新聞紙

② 両端に色画用紙をはる
色画用紙
①を2本つないでガムテープで巻いてはる
巻いてはる

③ 段ボール板の裏表両方に色画用紙をはった物
木工用接着剤ではる

●動物のお面

輪ゴムを挟んで折り、針先が表に出るようホッチキスで留める
※針先はセロハンテープをはってカバーする

2本つないだ輪ゴム

カラー工作紙

カラー工作紙に色画用紙をはった物

色画用紙

●花

色画用紙

茎を挟み、木工用接着剤ではり合わせる

柄布をはった色画用紙

結ぶ

布リボン

広告紙を丸めてビニールテープで巻いた物

挿す

段ボール箱に色画用紙をはった物

カッターで切り込みを入れる

木工用接着剤ではる

段ボール板に色画用紙をはった物

---

2 好きな動物の所まで行き、握手します。

3 好きな花を1本取ってゴールします。

「さんぽ」の歌で楽しむ

ふしぎな森のさんぽ

このBGMを流して
「さんぽ」
作詞／中川李枝子
作曲／久石 譲

みんながよく知っている「さんぽ」の歌詞のように、坂道、トンネル、草っぱら、一本橋、クモの巣など、いろいろな障害物を楽しみます。障害物は、子どもの年齢に合わせて、減らしたり、増やしたりしましょう。

案・指導／ジャイアンとばば

あそび方

1 親子が手をつないでスタート。**A**まで歩き、子どもが坂道を上り下りします。

2 保護者は**B**のトンネルの先で子どもを待ち、子どもがトンネルをくぐります。

3 子どもが**C**に落ちているどんぐりを1個拾います。

会場配置

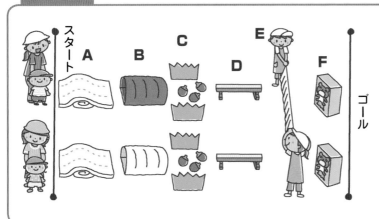

スタート A B C D E F ゴール

A マットや巧技台などで坂道を作っておく。

B 市販のトンネルなどを置いておく。

C 草むらの書き割りと、どんぐりを地面に置いておく。

D 一本橋に見立てて、低めの平均台を置いておく（紙パックで作った台などでも可）。

E クモの巣に見立てた、すずらんテープで作ったカーテンの両端を保育者が持って立つ。

F 段ボール箱で作ったクマを置いておく。

準備

- ●マットや巧技台の坂道
- ●市販のトンネル

- ●草むらの書き割り
  段ボール板に色画用紙をはって作り、下部は三角に折って、水入りのペットボトルなどの重しを入れます。

- ●どんぐり

  ① 丸めた新聞紙 包む
  約35cm角に切った2枚重ねのカラーポリロール

  ② 余分は切る
  絞ってセロハンテープを巻く

  ③ 絵の具を塗った直径約10cmの深めの紙皿
  穴を開けて②を通す

  ビニールテープを巻く

- ●平均台
- ●クモの巣に見立てた、すずらんテープで作ったカーテン
  すずらんテープを2つ折りにし、1本の長い綿ロープに折り山を引っ掛けて、結び付け、細く裂きます。

- ●段ボール箱で作ったクマ
  段ボール箱に色画用紙をはり、色画用紙のクマをはって、口の部分を切り取ります。

④ 子どもが平均台の上を歩きます。平均台では、保護者が手を添えて。

⑤

クモの巣に見立てた、すずらんテープで作ったカーテンをくぐります。

⑥ 段ボール箱で作ったクマの所まで行き、子どもがクマの口に拾ったどんぐりを入れて食べさせてゴールします。

▶ 普段の保育で

- ●いろいろな障害物であそびながら、子どもたちの年齢や姿に合った物を取り入れていきましょう。
- ●坂道、草っぱら、クモの巣など……普段のお散歩コースにあれば、見たり、体験したりすることでイメージが膨らみます。
- ●「さんぽ」の歌に親しむことで、「ふしぎな森のさんぽ」をより楽しめるでしょう。

1歳児

2歳児

ゴリラ目指して
進め！トマトちゃん

赤い帽子をかぶったトマトちゃんが、ゴリラ目指して大冒険！　すずらんテープのシャワーをくぐったり、ボードにトマトをはったり……、保護者と一緒に楽しめます。

案・指導／リボングラス

型紙 P.109 色画用紙で作ったトマトの絵カード。

あそび方

① 子どもがトマトの絵カードを持ち、「スタート」の合図で、保護者のコックさん目指して歩きます。

コックさんの帽子をかぶった保護者が、「おいで〜」と子どもを呼びます。

会場配置

A　コックさんの帽子をかぶった保護者が待つ。
B　すずらんテープのシャワーの両端を、保育者が持って立つ。
C　ゴリラボードを置いておく。

普段の保育で

● すずらんテープのシャワーをくぐるあそびをして、感触を楽しんでおきましょう。
● トマトの絵カードやゴリラボードは、園庭などでトマトが実る夏の時期に作り、保育室でもゴリラの口にはって食べさせるあそびを楽しみましょう。
● トマトの絵カードにブックカバー（透明粘着シート）をはって丈夫に作っておくといいですね。

準 備

●**トマトの絵カード**
色画用紙で作り、裏に両面テープをはっておきます。

●**コックさんの帽子**

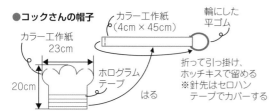

カラー工作紙23cm
20cm
ホログラムテープ
はる

カラー工作紙（4cm×45cm）
輪にした平ゴム
折って引っ掛け、ホッチキスで留める
※針先はセロハンテープでカバーする

●**トマトちゃん帽子**
赤いカラー帽子に色画用紙の"へた"をはります。

●**すずらんテープのシャワー**
綿ロープにすずらんテープをはります。

●**ゴリラボード**

色画用紙をはった段ボール板
90cm
90cm

ブックカバー
段ボール板を挟んでガムテープではる

色画用紙をはった段ボール箱
50cm
40cm
30cm

※段ボール箱の中に砂袋などの重しを入れる

③ 保護者が子どもを抱き上げて、子どもがトマトをゴリラの口にはります。保護者と子どもは手をつなぎ、ゴールまで走ります。

② 保護者が子どもを抱きかかえて、すずらんテープのシャワーをくぐります。その後、保護者は子どもを下ろし、2人で手をつないでゴリラボードまで走ります。

トマトをしっかり洗おう！

ボードにぺたっ

ゴリラの口はブックカバーで覆い、トマトをはれるようにしました。トマトのはく離紙は、保護者がはがします。

一緒に食べ物をゲット
アリの親子

かくれんぼや絵カードあそびを取り入れて、アリの親子が果物を見つけて持ち帰り、貯蔵庫にしまうというストーリー仕立ての種目にしました。

案・指導／小沢かつと

普段の保育で

● 保育者が段ボール箱の中に隠れて子どもが見つける「かくれんぼ」あそびを楽しみましょう。
● 子どもの好きな果物で絵カードを作ります。洗濯ばさみでつるし、それを取ったり、同じ絵の付いた箱に入れたりしてあそびましょう。ブックカバー（透明粘着シート）で覆って丈夫に作っておけば、運動会にもそのまま使えます。

あそび方

1 子どもが、**A**地点まで行き、段ボール箱の中から、保護者を探します。

窓を切り抜く

色画用紙をはる

保護者が中に入り、こんな格好で隠れる

反対側の1面は切り取る

会場配置

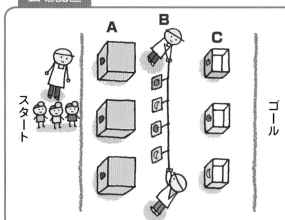

A
B
C
スタート
ゴール

保育者がついて、スタート地点に子どもが並びます。
A 3つの段ボール箱のどれかに、保護者が隠れる。段ボール箱は、大人が座って入れる大きさの物を用意。
B 張り渡したロープに、洗濯ばさみでイチゴ、バナナ、リンゴなど果物の絵カードをつるす。
C イチゴ、バナナ、リンゴの絵をはった箱を置く。

準備

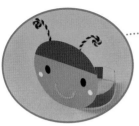

●アリのお面
色画用紙で作ったアリの顔を、カラー工作紙などの厚紙にはり、帯を付けます。触角は、カラーモール2本をねじり合わせて、先を丸めます（お面の帯の作り方は P.27 参照）。

●保護者が入る段ボール箱

●果物の絵カード（イチゴ、バナナ、リンゴ）
子どもの好きな果物を、色画用紙のはり絵や線画に着色して作りましょう。

型紙
P.108

●カードを入れる段ボール箱
色画用紙で作ったイチゴ、バナナ、リンゴをはっておきます。

② 親子で手をつないで **B** 地点まで行き、保護者が子どもを抱き上げて、子どもが好きな果物の絵を1枚選んで取ります。

③ **B** 地点で取った果物と同じ絵がはってある **C** 地点の箱に、果物の絵カードを入れてゴール。

リンゴ
ゲット！

1歳児

2歳児

大きなお魚を捕まえて大満足

お魚とったど〜！！

川を下って広〜い海へ。目指す海では、魚とりに挑戦します。どんな魚がとれるかな？　大きくカラフルな魚を準備すれば、見た目にも楽しい種目になります。

案・指導／ジャイアンとばば

普段の保育で

● 保育室に新聞紙やレジャーシートを広げて海を作り、好きなように泳いだり、魚をとったりしてあそびます。
● 段ボール箱の船に乗って保育者に引いてもらい、動くことを楽しみます。慣れてきたら、子どもが船を引く役もしてみましょう。

あそび方

1 保護者と手をつないでスタートし、船の所まで行ったら、子どもは船に乗り込みます。保護者は手助けをしましょう。

2 子どもは船にしっかりつかまり、保護者が船を引いてすずらんテープの川をくぐり抜けます。

会場配置

A　段ボール箱で作った船を並べる。
B　すずらんテープの川の両端を、保育者が持って立つ。
C　レジャーシートを海に見立てて魚を並べる。

準備

●川　綿ロープに適当な長さのすずらんテープを付けます。

●船

① 内側に折り込んでガムテープではる

② 穴を開ける
綿ロープ
通して結ぶ
段ボール板の裏表両面に色画用紙をはった物
※反対側も同じ物をはる
はる

色画用紙をはる
※反対側も同様
段ボール箱

●レジャーシート

●魚

① 新聞紙を丸めて形を作り、白のカラーポリロールで包んだ物
包んで絞り、ビニールテープで巻き留める
カラーポリロール

② ビニールテープ
カラーポリロール
ギャザーを寄せてビニールテープではる
油性フェルトペンでかく

❸ 魚のいる海まで行ったら、子どもは船から降りて、好きな魚をとります。

❹ 魚を抱えて再び船に乗り、保護者が船を引いてゴールします。船と魚は保育者が回収します。

1
歳児

どんどん実がなる様子が楽しい
実れ！ リンゴの木

親子で協力して、リンゴの木にリンゴを実らせましょう。たくさん実ったリンゴの木は、運動会が終わった後は保育室に飾っても。楽しかった運動会の思い出になりますね。

案・指導／ジャイアンとばば

あそび方

1 保護者は頭にリンゴバトンを着け、子どもと手をつないでスタートし、テーブルまで行ったらリンゴを1つ取ります。

会場配置

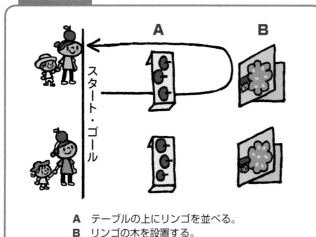

A テーブルの上にリンゴを並べる。
B リンゴの木を設置する。

普段の保育で

●保育室に段ボール板の木を用意して、果物取りごっこを楽しみましょう。果物は、リンゴ以外にも、いろいろな物を作って、いつでも、取ったり、はったりしてあそべるコーナーを作っておくといいですね。果物と木に面ファスナーを付けておくと、何度でも繰り返しあそべます。

準備

● テーブル

● リンゴバトン

① カラーポリロールで綿を包んだ物

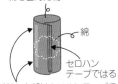

綿

セロハンテープではる

両端を絞り、上部はセロハンテープで下部は輪ゴムで巻き留める

② 余った部分に巻いて棒状にする

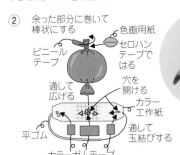

ビニールテープ

色画用紙

セロハンテープではる

通して広げる

穴を開ける

カラー工作紙

平ゴム

通して玉結びする

カラーガムテープ

● リンゴの木

段ボール板（縦90cm×横60cm）に、色画用紙でリンゴの木を作ってはり、段ボール箱にはり付けます。大きな箱がない場合は2つ重ねても。箱の中には砂袋または、水を入れたペットボトルなどの重しを入れておきます。

● リンゴ

色画用紙で作り、裏に両面テープをはっておきます。

---

② リンゴの木まで行ったら、保護者がリンゴの裏の両面テープのはく離紙をはがし、子どもが木にはります。

③ スタート地点に戻って、チームの次の保護者にリンゴバトンを渡して交代します。

大好きなヒーローに変身
タンポポマンでゴー！

子どもがヒーローに変身、親子で力を合わせて進みます。ヒーローの名前はクラス名にちなんだり、子どもたちと相談したりして決めると盛り上がりそうですね。

案・指導／ジャイアンとばば

あそび方

1 保護者は子どもを横にして抱き、子どもは飛んでいるヒーローのポーズをしながらスタート。そのままマットの山まで歩きます。

会場配置

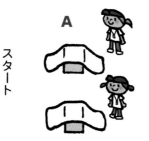

スタート　　　A　　　ゴール

A 巧技台の上にマットをかぶせて、緩い坂を作る。

普段の保育で

●タオルや新聞紙、帽子などを用意して、変身ごっこをすることで、衣装を身に着けることに慣れましょう。
●保育者が子どもをだっこして歩くふれあいあそびや、布団の山などを登るあそび、手をつないで走るあそびなどを楽しんでおきましょう。

42

準 備

●技巧台　●マット

●タンポポマン帽子

① カラー工作紙　約16cm
重ねてはる
切り込む

② 色画用紙
木工用接着剤ではる
①
穴を開ける
通して玉結びにする
平ゴム
色画用紙
周囲を切り込む
※大きさを変えて3枚作り、はり重ねる

●マント

面ファスナー（硬いほう）
裏に縫い付ける

面ファスナー（柔らかいほう）
縫い付ける

（55cm角くらいの大判の物）

市販のバンダナやハンカチ

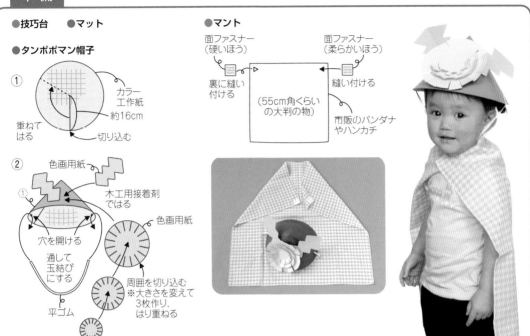

② 子どもはマットの山を登ります。保護者は手助けをしましょう。

③ マットを降りたら、手をつないで走ってゴールします。

お手伝い気分を満喫

はじめてのおつかい

エプロンを着けてお手伝いに挑戦。かごを持ってはじめて
のお買い物。何を買おうかな。親子で相談して、好きな野
菜を選びましょう。

案・指導／ジャイアンとばば

普段の保育で

●ままごととセットの食べ物を使っ
てお買い物ごっこをしたり、野
菜の絵を描いた厚紙や段ボール
板を段ボール箱にはるあそびを
取り入れましょう。
●お買い物ごっこやままごとをす
るときにエプロンを着けてあそ
ぶようにするのもいいですね。

2 買い物かごを取
りに行きます。

あそび方

保護者と手をつないでスタ
ートし、フープまで走って
エプロンを選び、子どもは
エプロンを着けます。保護
者は子どもの様子に応じて
手伝います。

会場配置

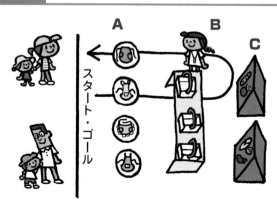

A B C

スタート・ゴール

A フープを置き、中にエプロンを並
べる。エプロンはいくつかのタイ
プを作って、好きな物を選べるよ
うにする。
B テーブルに買い物かごを並べる。
C 段ボール板の台に野菜を付けてお
く。動かないように、水を入れた
ペットボトルを重しにする。

44

準備

●エプロン

カラーガム
テープ

カラー
布リボン・太

顔料
フェルト
ペンでかく

裏に
はる

裏面で
手芸用接着剤
を付ける所

ピンキング
はさみで
切る

布リボン

カラーガムテープ

裏にはる

※表記以外の材料は不織布
※表記以外の接着には手芸用接着剤を使う

●買い物かご
●テーブル
●フープ

●野菜

型紙
P.109

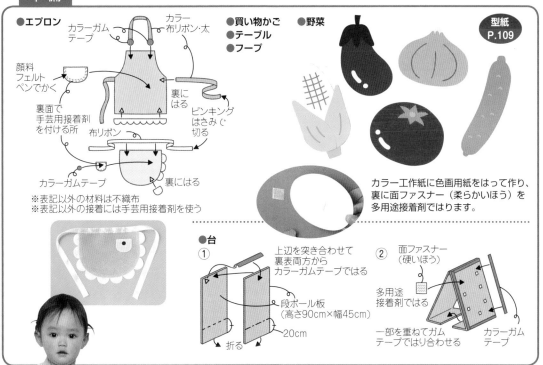

カラー工作紙に色画用紙をはって作り、
裏に面ファスナー（柔らかいほう）を
多用途接着剤ではります。

●台

① 上辺を突き合わせて
裏表両方から
カラーガムテープではる

段ボール板
（高さ90cm×幅45cm）

20cm

折る

② 面ファスナー
（硬いほう）

多用途
接着剤ではる

一部を重ねてガム
テープではり合わせる

カラーガム
テープ

3

野菜を1つ取ってかご
に入れ、手をつないで
ゴール。買い物かごと
エプロンは保育者が回
収します。

こんな
BGMを
流しても

「ドレミファだいじょーぶ」
はじめてのおつかい主題歌
作詞／長戸大幸　作曲／織田哲郎

ジャンプしたら花を取って帽子に

花畑をお散歩＆ジャンプ

親子でお散歩しながら、花の巧技台から元気にジャンプ！
跳び降りたら花を1つ取り、子どもの帽子に付けます。3回
ジャンプして3つの花を集めてゴールしましょう。

案・指導／南 夢未（あそび工房ゆめみ）

アナウンスのヒント

ジャンプが大好きな1
歳児たち。今日は、ち
ょっと高い台からのジ
ャンプにも、親子でチ
ャレンジします。

あそび方

1 保護者と手をつないで入
場し、子どもが好きな高
さの巧技台を選んで、そ
こまで歩きます。

普段の保育で

● 最初は低い台から始め、保育者が子どもの両手を持ってジャンプ
することを繰り返してあそびましょう。下にはマットを敷くとい
いですね。ジャンプの楽しさを知ると、高くてもジャンプしよう
とするので、保育室には子どもたちに合った高さの物を用意して
おき、見守りながらあそびましょう。
● 保育室にお花をはってあそべるコーナーがあると、はったり、は
がしたり、花畑のお花摘みも日常のあそびになりますね。

② 巧技台への上り下りは、保護者が補助します。

ジャンプできたら、子どもが花を1つ取ります。

保護者が「ちょうだい」と言って花を受け取り、子どもの帽子に付けます。

準備

●高さの違う3種類の巧技台
・1段、2段、3段と、重ねる段数を変えた巧技台3種類を、子どもの人数によって用意。紙パックや段ボール箱に詰め物をし、色画用紙で覆って作ってもいいでしょう。

●色画用紙の花　3色
・巧技台の側面には、裏に両面テープ、または、輪にしたガムテープなどを付けた、色画用紙の花をはっておきます。
・花の色は、巧技台ごとに変えます。

型紙 P.109

必ずしも1人が3色集めないことを考えて、花は、子どもの人数分より多めに用意しておくといいでしょう。

色画用紙で覆って作った台の場合は、はがしやすいように、台の所々にカラーガムテープをはり、その部分に花をはるとよいでしょう。

③ 3か所の巧技台からジャンプして、3つの花を帽子に付けたら、保護者と手をつないで退場します。摘んだ花は、お土産として持ち帰ります。

追いかけっこ大好き

まてまて、ギューッ！

追いかけっこあそびが大好きな子どもたちにぴったりの種目です。大好きな保護者に追いかけられる、捕まえられたら抱き締めてもらう、2つの楽しさを盛り込みました。

案・指導／南 夢末（あそび工房ゆめみ）

普段の保育で

● シーツを使ったかくれんぼあそびや、わらべうた「うえからしたから」などをうたいながら、保育者がシーツを上げたり下げたりするあそびを楽しみましょう。

● 保育者とこの種目と同じあそびを繰り返し楽しみましょう。広い場所で行い、子どもの動線に配慮しましょう。

あそび方

1

保護者は、スタートラインに立ち、子どもたちはしゃがんで、シーツの下に隠れて待ちます。

アナウンスのヒント

大勢いても、我が子だけはすぐにわかる保護者の皆さんが、我が子を追いかけ、捕まえて、思い切り抱き締めます。上手に走れるようになった、子どもたちの元気な姿をご覧ください。

準 備

● シーツ

② 保育者がシーツを上に持ち上げたら、子どもたちが「キャー」と逃げ回ります。保護者は「まて、まて〜」と我が子を追いかけます。

③ 我が子を捕まえたら、ギューッと抱き締め、そのまま2人くっついて、仲良く退場します。

1歳児

2歳児

49

卵から生まれて、大きくなったよ
ペンギンさんいっぱい

卵から生まれたペンギンさん。よちよち歩いて、靴も一人で履けるようになり、少し高い所からジャンプもできるようになりました。子どもの成長した姿を披露する種目です。

案・指導／南 夢未（あそび工房ゆめみ）

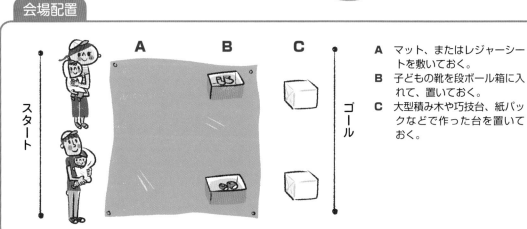

あそび方

①

ペンギン帽子をかぶり、靴を脱いだ子どもを、保護者が白い布で優しく包み、卵に見立ててだっこして**A**まで運びます。

②

保護者は子どもを下に降ろし、「ばあ！」と言いながら、布を取り去ります。親子が手をつないで**B**まで歩きます。

会場配置

スタート　　A　　B　　C　　ゴール

A マット、またはレジャーシートを敷いておく。
B 子どもの靴を段ボール箱に入れて、置いておく。
C 大型積み木や巧技台、紙パックなどで作った台を置いておく。

準 備

●子どもを包む白い布、
　または白いバスタオル

●ペンギン帽子
　色画用紙でペンギンの目と
　くちばしを作り、カラー帽
　子に両面テープではり付け
　ます。

●マット、またはレジャーシート

●子どもの靴を入れる段ボール箱
　スタートする前に保護者が子どもの靴を脱がして箱に
　入れ、保育者が**B**地点に運んでおきます。

●大型積み木や巧技台、紙パックなどで作った台
　白い模造紙で包んで、氷山のイメージにします。

③　子どもが自分で靴
　を履きます。親子
　が手をつないで**C**
　まで歩きます。

▶ 普段の保育で

●子どもが布をかぶって、「ばあ！」と顔
　を出すあそびを楽しみましょう。「〇〇
　ちゃんが卵から、トントントン、生まれ
　ますか？」などと、保育者が言ってのぞ
　き込むとイメージが広がります。
●靴を自分で履こうとする姿を、ゆっくり
　と待って、子どもの意欲をくみ取りましょ
　う。

④　台に上ってジャンプし、
　ゴールします。台への
　上り下りは、保護者が
　補助します。

みんなでトッピングして、完成を楽しむ

フルーツパフェはいかが？

大きなパフェの土台に、親子シェフが果物やお菓子をトッピング。みんなで完成させる楽しみと、出来上がったパフェを園長先生などが食べて、感想を言ってくれるのも楽しい種目です。

案・指導／ジャイアンとばば

あそび方

1

親子でスタートし、**A**まで行って、子どもはエプロン、大人はコック帽のお面を着けます。手をつないで**B**へ行きます。

カットされたフルーツやお菓子の中から、好きな物を持って、**C**へ行きます。

会場配置

 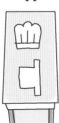  

スタート　　A　　B　　C　　ゴール

A テーブルに子ども用エプロンと大人用コック帽のお面を置いておく。

B テーブルにカットされたフルーツやお菓子を置いておく。

C パフェの土台を置いておく。

準 備

●子ども用エプロン＆大人用コック帽のお面

（コック帽のお面）

エプロンと同じ作り方で平ゴムを
少し長くした物

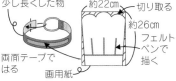

約22cm ←切り取る
約26cm
フェルト
ペンで
描く
画用紙
両面テープで
はる

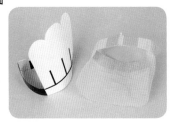

（エプロン）

平ゴムを挟んで折り、針先が表に出る
ようホッチキスで留める

※針先はセロハン
テープやガムテープ
をはってカバーする

不織布
約4cm
約25cm
約40cm
木工用
接着剤
ではる

輪にした細い平ゴム
幅約4cm×長さ約45cm
のカラー工作紙

●テーブル

●カットされたフルーツやお菓子
カラー工作紙などの厚紙に色画
用紙をはって作ります。

●大きなスプーン
段ボール板を形に切って、色画
用紙をはって作ります。

●パフェの土台
段ボール板に色画用紙をはって
作り、両面テープをはっておき
ます。裏に重しを入れた段ボー
ル箱などをはって立たせます。

普段の保育で

●ままごとあそびなどで、いろい
ろな物を好きなフルーツに見立
てて、パフェを作ってあそんで
も楽しいですね。

パフェの土台に、フルー
ツやお菓子をはり付けて、
親子でゴールします。

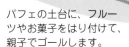

こんな
BGMを
流しても

「キユーピー3分クッキングテーマ」
原曲「おもちゃの兵隊の行進」
作曲／レオン・イエッセル

フルーツいっぱいの
おいしそうな
パフェですね。
いただきま～す。
う～ん、おいしい！

全員が終了したら、園長先
生などが大きなスプーンを
持って登場。出来上がった
パフェを食べるまねをして、
感想を話します。

1歳児

2歳児

スキンシップしながら動物に変身
やっぱり一緒は楽しいね

大好きな人とスキンシップしながら、動物の親子に変身。体を動かすのが楽しくなること請け合いです。

案・指導／高崎温美（あそび工房らいおんバス）

普段の保育で

● トンネルくぐりのあそびを楽しみましょう。市販のトンネルがなくても、段ボール箱にカラーポリロールなどを付けて作っても楽しめます。
● 向き合って手をつなぎ、保育者の足の上に子どもを乗せて歩いてあそびましょう。

あそび方

こっち
だよ〜

1 子どもがトンネルをくぐります。1歳児なら、保護者はトンネルの出口に回って、子どもを呼びましょう。

会場配置

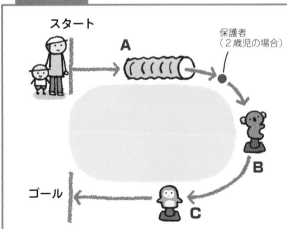

スタート
A
保護者
（2歳児の場合）
B
ゴール
C

● 1歳児はスタート地点に親子で並びます。
● 2歳児はスタート地点に子どもだけが並び、保護者はトンネルとコアラコーンの間で待ちます。

A トンネルを設置する。
B コアラの絵を付けたカラーコーンを置く。
C ペンギンの絵を付けたカラーコーンを置く。

② 1歳児は、くぐり終わったら保護者と一緒に手をつないで、**B**地点に向かって走ります。2歳児は、保護者が待っている所まで走っていき、その後、一緒に手をつないで走ります。

③ コアラコーンの所で、保護者は子どもをだっこして**C**地点まで走ります。

④ ペンギンコーンの所で、保護者は子どもを足の上に乗せ、息を合わせて歩きながらゴールを目指します。

準 備

● コアラコーン　　●市販のトンネル

●ペンギンコーン

型紙 P.110

色画用紙で袋状に作ったコアラとペンギンを、カラーコーンにかぶせます。内側を、輪にしたガムテープではって固定しましょう。

接着剤を付ける部分

厚紙をはって補強する

はり合わせる

はり合わせる

※表記以外はすべて色画用紙

お話の世界を楽しむ

ここほれワンワン！

おなじみの日本昔話「はなさかじいさん」をアレンジした楽しい種目です。親子でイヌになり、ボールプールの中を掘り返して宝物をゲット！　その宝物をサクラの花と交換して木にはり、満開にします。2歳児なら個人種目にしても。

案・指導／小倉げんき

あそび方

①

親子でイヌの耳を着けてスタートし、一緒に「はいはい」でマットを進みます。

② 宝物探し用のボールプールから、金色の色紙で包んだボール（宝物）を探してゲットし、**C**へ行きます。

会場配置

A マットを置いておく。
B 宝物探し用のボールプールを置いておき、中に金色の色紙で包んだボールを混ぜておく。
C サクラの花を入れた段ボール箱と、金色のボールを入れる段ボール箱を置いて、保育者が待つ。
D サクラの木を置いておく。

スタート　　A　　B　　C　　D　　ゴール

準 備

●マット
●**宝物探し用のボールプール**
ビニールプールやたらい、段ボール箱にカラーボールをたくさん入れ、中に金色の色紙で包んだボールを子どもの人数分より多めに混ぜておきます。

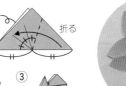

●**サクラの花**
段ボール箱に入れておきます。

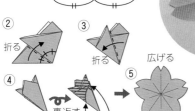

① 三角に2つ折りにした15cm角の色紙　折る
② 折る
③ 折る
④ 裏返す　ここより下から花の形に切る
⑤ 広げる
- - - - - 谷折り

●**イヌの耳**
大人用と子ども用で帯の長さは同じにし、平ゴムの長さで頭囲を調節。色画用紙の耳は、大きさを変えます。帯の作り方はP.27を参照。

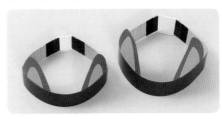

●**サクラの木**
段ボール板に色画用紙をはって形に作り、透明な強力両面テープをはっておき、重しを入れた段ボール箱などに固定します。2歳児で個人種目にする場合は、子どもの身長に合わせて低く作り、親子種目で保護者が抱き上げてはる場合は、高くしてもいいでしょう。

完成！

③
保育者が持っているサクラの花と、宝物の金色のボールを交換して、**D**へ行きます。

④ サクラの木に、サクラの花をはり付けて、ゴールします。

普段の保育で
●「はなさかじいさん」の絵本を読み聞かせしたり、棚に置いたりして、お話のイメージを楽しめるようにしましょう。
●イヌの表現あそびを繰り返し、鳴きまねなど、なりきって楽しみましょう。

親子で仲良くイモ掘り
どっこい！ サツマイモ

親子で一緒にイモ掘り。さあ大きなサツマ
イモをゲットできるかな？　山登りやつる
を引っ張る動きを楽しみながらチャレンジ
できる種目です。

案・指導／おおしまやすし

あそび方

①
マット山を保護者が
援助しながら、子ど
もが上って下ります。

② イモづるを引っ張って、サ
ツマイモを収穫します。イ
モづるの洗濯ばさみをイモ
から外し、イモだけを持っ
て、**C**まで行きます。

会場配置

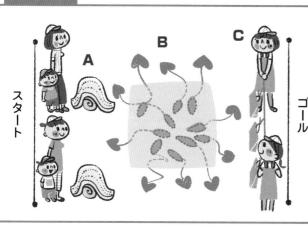

A マットで作った山を置いておく。

B サツマイモの上に、土に見立てて模
造紙をはり合わせた大きなシート
を掛けておく。色画用紙の葉が付
いたイモづるは、シートの外に出
しておく。

C 綿ロープに洗濯ばさみを付けて、手
提げ紙袋をつるし、両端を保育者
が持つ。

準 備

●**イモづる付きのサツマイモ**
イモづるは、やや長め（約2m）にしておくと、引っ張る楽しさがあり、達成感が増します。

① 色画用紙 / 新聞紙を丸めた物 / 包んではる

② フェルトペンでかく / 挟み留める / 先をつぶしてイモ形にし、セロハンテープを巻く / 洗濯ばさみ / 長さ約2mのすずらんテープ / セロハンテープではる / 色画用紙

●**模造紙をはり合わせた大きなシート**

●**マット山**
1枚のマットを丸め、その上にもう1枚のマットを載せます。

●**手提げ紙袋**
洗濯ばさみを使って、綿ロープに手提げ紙袋をつるします。

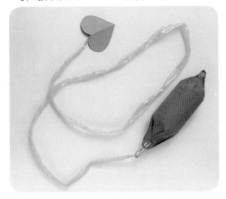

③ イモを保護者に預けて、子どもが洗濯ばさみを外して手提げ紙袋を取り、サツマイモを中に入れます。

④ 子どもがサツマイモを入れた紙袋を持ち、親子で手をつないでゴールします。

普段の保育で

●すずらんテープの先端に、サツマイモの代わりに子どもたちと一緒に作ったオリジナルの魚を付け、つりごっこにアレンジをして、夏頃から楽しんでみましょう。
●カラーボールを紙袋やレジ袋に、たくさん入れるあそびをしてみてもいいですね。

歌の世界を楽しむ

お～いかばくん

歌でおなじみの「お～いかばくん」。歩いて、川を越えて、「お～いかばくん」と大きな声をかけたり、かばくんに触ったりと、普段の保育で楽しんでいれば、盛り上がること間違いなしです。

案・指導／ジャイアンとばば

普段の保育で

● 保育室に新聞紙などで川を作り、カバのまねをしてはいはいごっこをしてあそびましょう。
● 段ボール箱で口を開けたかばくんを作り、おもちゃの野菜や果物などを食べさせるまねをして、「おいしいね」「いっぱい食べたね」など、食育につなげてもいいですね。

あそび方

①

親子で手をつないでスタートし、**A**で、子どもが好きなコースを選んで進みます。保護者は子どもの様子に合わせて援助します。マットの上は、転がったりしても楽しいでしょう。

②

Bで、川に見立てたすずらんテープのカーテンをくぐり、**C**へ行きます。

会場配置

A マットで作った山、市販のトンネル、マットの3コースを用意しておく。
B 川に見立てた、すずらんテープのカーテンの両端を保育者が持って立つ。
C かばくんに声をかけるエリアのマークとして、フープを置いておく。
D かばくんのお面を着けた保育者が立っている。または、段ボール箱に色画用紙をはって作ったかばくんを置いて、横に保育者が立ってもよい。

準備

- ●マットや巧技台で作った山
- ●市販のトンネル
- ●マット
- ●かばくんのお面
  厚紙に色画用紙をはって作ったかばくんにお面の帯を付けます。お面の帯の作り方は、P.27を参照。

型紙
P.111

- ●川に見立てた
  すずらんテープのカーテン
  すずらんテープを2つ折りにし、1本の長い綿ロープに折り山を引っ掛けて、端を通すようにして結び付けます。

- ●フープ
  かばくんに声をかけるエリアのマークにします。

❸

子どもがフープの中に入り、「お〜い！　お〜い！　か〜ば〜く〜ん！」と親子で大きな声で呼びます。かばくんのお面を着けた保育者が、「は〜い！」と返事をします。

お〜い！

は〜い！

❹ 返事をしてもらったら、**D**のかばくんの所へ行き、かばくんにタッチしてゴールします。

ワンポイントアドバイス

大きな声を出すことを恥ずかしがる親子もいるので、声が大きい小さいで判断するのではなく、あくまでも親子の雰囲気に合わせます。親子によっては「もっと聞かせて〜」などと言うと、盛り上がります。

このBGMを流して

「お〜いかばくん」
作詞／中川いつこ
作曲／中川ひろたか

バスに乗ってお山へ遠足
秋を探しに出発！

親子で仲良くバスに乗って出発。マットのお山に着いたら
バスから降りて、どんくり拾いをしたり、リスさんに食べ
させたりして楽しむ種目です。バスで子どもを前にすると、
保護者が子どものペースに合わせやすいでしょう。

案・指導／ジャイアンとばば

普段の保育で

- ●ペットボトルで作ったどん
  ぐりに木の実を入れたり、
  小石を入れて楽器にしてあ
  そんでもいいですね。
- ●2歳児なら、ピクニックご
  っこで、段ボール箱で作っ
  たバスに友達と一緒に乗っ
  て楽しんでみましょう。

あそび方

1 子どもを前に親子で段
ボール箱で作ったバス
の枠の中に入り、保護
者がバスのロープを
持って、**A**まで歩きます。

会場配置

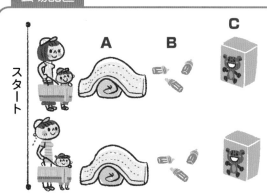

スタート

A　B　C

ゴール

- **A** マットや巧技台で作ったお山を置
  いておく。
- **B** ペットボトルで作ったどんぐりを
  地面に置いておく。
- **C** 段ボール箱で作ったリスを置いて
  おく。

準備

●段ボール箱で作ったバス

① 上下とも蓋を内側に折り込んでガムテープではる

約39cm　約52cm　約30cm

段ボール箱

② 穴を開けて綿ロープを通して結ぶ

色画用紙をはる

●マットや巧技台で作ったお山

●ペットボトルで作ったどんぐり

① 色画用紙

巻き付けてセロハンテープではる

フラワー紙を詰めて蓋をした約350mlのペットボトル

② 絞ってセロハンテープを巻く

色画用紙をはる

●段ボール箱で作ったリス

段ボール箱に色画用紙をはり、色画用紙のリスをはって、口の部分を切り取ります。

② バスから降りて、子どもがマットのお山を上って、向こう側に下ります。保護者は、子どもの様子に合わせて援助します。

③ お山を下りた所に置いてあるどんぐりを1個拾います。

④ 親子で手をつなぎ、リスの所まで行き、子どもがリスの口にどんぐりを入れて食べさせてからゴールします。

1 歳児

2 歳児

紙袋を持って、お買い物を楽しむ

お菓子屋さんへ行こう！

紙袋を持ってお菓子屋さんへお買い物に出かける種目です。
持ち帰ったお菓子は、そのままプレゼントに。2歳児なら
子どもだけで、1歳児なら親子で一緒に楽しみましょう。

案・指導／小倉げんき

あそび方

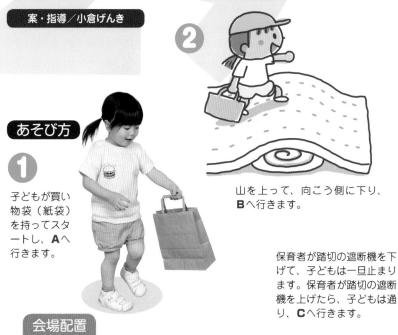

1 子どもが買い物袋（紙袋）を持ってスタートし、**A**へ行きます。

山を上って、向こう側に下り、**B**へ行きます。

保育者が踏切の遮断機を下げて、子どもは一旦止まります。保育者が踏切の遮断機を上げたら、子どもは通り、**C**へ行きます。

会場配置

A マットや巧技台などで作った山を置いておく。
B 踏切の遮断機を保育者が持って立つ。
C テーブルの上にお菓子を並べておき、店員役の保育者がつく。

準 備

- **買い物袋**
  子どもが持ちやすい大きさの、市販の持ち手付き紙袋を使用します。
- **マットや巧技台で作った山**
  巻いたり、折り畳んだマットや巧技台の上に、別のマットを重ねて作ります。
- **踏切の遮断機（長さ約65㎝）**
  ロール紙の紙芯棒などに、黄色と黒の色画用紙を交互に巻くか、カラーガムテープなどを交互に巻いて作ります。

- **キャンディー、ドーナツ、クッキーのお菓子**
  子どもの人数分より少し多めに用意します。
- **テーブル**

（クッキー）

カラーポリ袋を切った物の中に化繊綿を入れてセロハンテープではる

直径約21㎝の段ボール板を花形に切った物2枚

クレヨンで描く

輪にしたガムテープではり合わせる

直径約9㎝の円を切り抜く

（ドーナツ）

丸めて輪にし、ビニールテープを巻く

直径13㎜と9㎜の丸シールをはる

2つ折りの新聞紙1枚を長辺で棒状にし、約60㎝×40㎝のクラフト紙で包んだ物

（キャンディー）

① 包装紙

包んでセロハンテープではる

約37㎝

新聞紙を丸めた玉

② 絞ってビニールテープを巻く

 子どもが来たら、店員役の保育者は「いらっしゃいませ。どのお菓子がいいですか？」と尋ねて、やり取りを楽しみます。

普段の保育で

- お買い物ごっこをする中で、自分で欲しい物を決めて注文する楽しさを繰り返し経験しましょう。
- お散歩ごっこで、踏切や山など、いろんな道を通るイメージを楽しみましょう。

⑤ 子どもは好きなお菓子を1つ取り、買い物袋に入れて、ゴールします。

タオルケットに乗って進むのが気持ちいい！

サーフボードでスイスイ

保育者が引っ張るタオルケットのサーフボードに乗って、子どもたちはブルーシートの海を気持ちよくスイスイ。事前に普段の保育の中で、このあそびを十分楽しみましょう。

案・指導／伊藤利雄

あそび方

① 名前を呼ばれた子は、うつ伏せでタオルケットの上に乗ります。子どもは、タオルケットの両端を握ります。

会場配置

A マットの上で子どもたちが座って待つ。子どもの人数に応じて、保育者が1〜2人そばにつく。

B ブルーシートを敷いて、四隅を重しで固定しておく。その上で、保育者がタオルケットを持って待つ。

準備

● マット　● ブルーシート
● 重し　● タオルケット（約75×150cm）

ポイント1
保育者は、「サーフボードで波の上をスイスイ行くよ」と子どもたちに声をかけて、気分を盛り上げます。

② 保育者が、子どもを乗せたタオルを引っ張ってブルーシートの上を1周します。

2つの手でグッと握って、離さないようにね

ポイント2
子どもがタオルケットの端を握るときは、保育者が一人一人の子に「2つの手でグッと握って、離さないようにね」と声をかけます。

▶ **普段の保育で**

● タオルケットが1枚あれば、いつでもどこでもできるあそびです。室内の床を利用して気軽に楽しみましょう。
● あそびに慣れるまでは直線での移動を主体に、様子を見ながら徐々に曲線を入れていきましょう。

③ 元の場所に戻ってきたら、タオルケットから降りて、次の子どもと交替します。

ポイント3
引っ張ってブルーシートの上を1回転するときは、ゆったりとしたスピードで、子どもの様子を見ながら行いましょう。握る力や揺られても姿勢を保とうとする力を育むあそびです。

1歳児

2歳児

おなじみの歌に合わせて楽しむ

ハチがとブン！

ハチになった子どもたちがお花畑で花を摘み、池をイメージしたすずらんテープのカーテンをくくって、保護者が待っているゴールへ。摘んだ花を保護者にプレゼントします。

案・指導／ジャイアンとぱぱ

普段の保育で

●ミツバチの衣装に抵抗を感じないように、普段から変身ごっこで羽だけを着けてみたり、帽子だけをかぶったりして、親しんでいきましょう。
●「ミツバチ＝花の蜜が大好物」を伝えながら、子どもたちなりに、ハチの世界を想像して楽しめるようにしましょう。

あそび方

①

ミツバチの衣装を身に着け、子どものみでスタートして、花畑**A**まで行きます。

会場配置

スタート

A　**B**　**C**

ゴール

A　子どもの人数分の花を挿した花畑を置く。
B　子どもの人数分の花を挿した花畑を置く。
C　池に見立てた、すずらんテープのカーテンの両端を保育者が持って立つ。

準備

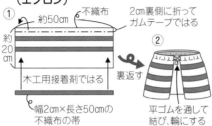

●ミツバチの衣装

触角はカラーモールで作って、カラー帽子にはり、色画用紙の羽は子どものTシャツの背に直接カラーガムテープではり付けます。エプロンは、不織布で作ります。

（エプロン）

① 約50cm　不織布　2cm裏側に折ってガムテープではる

約20cm

木工用接着剤ではる

幅2cm×長さ50cmの不織布の帯

② 裏返す

平ゴムを通して結び、輪にする

●池に見立てた、すずらんテープのカーテン

すずらんテープを2つ折りにし、1本の長いすずらんテープに折り山を引っ掛けて、端を通すようにして結び付けます。
（P.19の海に見立てたすずらんテープのカーテン参照）

型紙
P.109

花は、色画用紙を巻いた茎の先に、色画用紙の花2枚をはり合わせます。

●花畑＆花

花は、2輪×子どもの人数分を用意し、花畑は**A**と**B**の場所に、それぞれ子どもの人数分の花を挿せるだけの数を、用意します。

花畑は、500mlのペットボトル7本を輪ゴムで束ねて、色画用紙の草を巻き付けます。5本のペットボトルの蓋は花が挿せるように取り、他2本には水を入れて蓋をし、重しにします。

こんなBGMを流しても

「ぶんぶんぶん」
作詞／村野四郎
ボヘミア民謡

② 花畑**A**で子どもが好きな花を1輪摘み、花畑**B**へ向かいます。花畑**B**でもう1輪花を摘みます。

③ 池に見立てたすずらんテープのカーテンをくぐります。

④ ゴールで待っている保護者へ花をプレゼントします。

歌に合わせて、静と動を楽しむ

まねっこカタツムリ

角に見立てた布の棒を両手に持ち、「かたつむり」（文部省唱歌）の歌に合わせて、歩いたり、止まったり……保育者のまねっこができるかな？　静と動のメリハリを楽しめるようになってきた子どもたちの姿を披露しましょう。

案・指導／南 夢未（あそび工房ゆめみ）

あそび方　1番

❶ ♪でんでん むしむし かたつむ

布の棒を両手に1本ずつ持って、振りながら、保育者と一緒に歩きます。

❷ ♪り

止まって、しゃがみます。

❸ ♪おまえの あたまは どこにあ

また立ち上がって、❶と同様に動きます。

❹ ♪る

❷と同様に動きます。

会場配置

じょうろの水、またはラインパウダーで地面にカタツムリの線画を描いておく。子どもたちと保育者は、1列ないし2列になり、列の先頭と最後、真ん中にも保育者がついて、カタツムリの殻の渦巻きに沿って、歌あそびをしながら中央に向かう。

⑤ ♪つのだせ

しゃがんだまま、片手に持った布の棒を上にあげます。

⑥ ♪やりだせ

しゃがんだまま、もう一方の棒も上にあげます。

⑦ ♪あたまだせ

両手を上にあげたまま、立ち上がります。

2番 ① ♪でんでんむしむし 〜めだまだせ

1番の①〜⑦を繰り返しながら、ぐるぐると殻の渦巻き道を中央に向かって歩きます。

② 「バンザーイ！」

カタツムリの殻の渦巻きの中央に着いたら、みんなで万歳をして観客にアピールします。「かわいいカタツムリたちが、大きなお母さんカタツムリの殻のてっぺんに到着しました。皆さん温かい拍手をお願いします」などのアナウンスをするといいでしょう。

● 普段の保育で

● 「かたつむり」を歌いながら、保育者の動きの「まねっこあそび」を楽しみましょう。立ったり、座ったり、歩いたり、止まったり……。できてもできなくても保育者がメリハリをつけて、一緒に楽しみます。
● 保育室にビニールテープなどで渦巻きの線を作り、その上を歩くあそびを楽しみましょう。慣れたら、園庭に線を引いて歩いてみましょう。

準 備

● 水、またはラインパウダー
● 布の棒

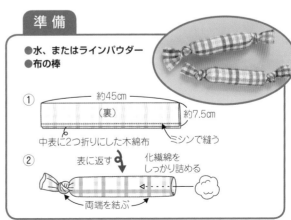

親子で協力してゲット

どっさり果物あつめ

ブドウ、カキ、ナシ……親子で一緒に、秋の実りの果物を
たくさん収穫しましょう。親子でうまく協力して運べるか
な？　果物ごとに分けられるかな？　わくわく、ドキドキ
の楽しい種目です。

案・指導／小倉げんき

あそび方

①
段ボール箱で作っ
たトレイを持ち、
親子で手をつない
でスタートし、**B**
へ行きます。

② ブルーシートの上の果物
を子どもが取り、保護者
が持っているトレイに好
きなだけ載せます。

会場配置

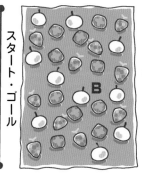

スタート・ゴール

A
B
C

A　親子でトレイを持って待機
　　する。
B　ブルーシートの上に果物を
　　置いておく。
C　収穫した果物を入れる段ボー
　　ル箱を、ブドウボックス、
　　カキボックス、ナシボック
　　スと、果物ごとに用意して
　　おく。

準備

● 段ボール箱をカットして作った
　トレイ（縦・横約30cm×深さ約5cm）

● 紫色のブドウボックス、
　オレンジ色のカキボックス、
　黄色のナシボックス
段ボール箱に色画用紙をはり、それぞれに入れる収穫物を色画用紙ではります。

● ブルーシート
● ブドウ、カキ、ナシ

 （カキ）

① 丸めた新聞紙を中に入れて包む

約40cm角に切った2枚重ねのカラーポリロール

② 包んでセロハンテープではり留める

両面テープではる　色画用紙

※ナシは約40cm×60cmに切った2枚重ねのカラーポリロールで作り、絞って柄をビニールテープで巻いて色画用紙の葉を付ける

（ブドウ）

① 丸めた新聞紙を角に入れて包んで絞る

カラーポリロールを切り、折ってセロハンテープではる

約40cm
約32cm
色画用紙
両面テープではる

② Tの字に折ってビニールテープを巻く

絞ってセロハンテープを巻く

---

③

親子でトレイを持ち、果物を落とさないように **C** へ運びます。

普段の保育で

● どんな果物が好きか聞いたり、果物の絵本を読んだりして、子どもの興味を引き出しましょう。
● おままごとやお片付けの際に、トレイやかごに入れた物を保護者と一緒に運んで楽しみましょう。

④

運んだ果物を、それぞれの箱に入れます。そのままスタートまで戻り、次の親子にトレイを渡します。

ポイント

果物を入れる段ボール箱がいっぱいになったら、予備の箱と交換し、果物をブルーシートに戻します。

親子で追いかけっこ
卵を取り戻せ！

「ペンギンが間違って、ニワトリの卵を持って
いってしまいました。みんなで取り戻さなけ
れば！」のナレーションでスタート！

案・指導／小沢かづと

あそび方

1 保護者は、足に風船を
挟んだまま逃げます。

待て〜 キャ〜

会場配置

子どもは左右に分かれる。会場中央に風船を入れ
る段ボール箱（すべての風船が入る大きさの物）
を置き、周りに保護者が風船を足に挟んで立つ。

2 子どもは、保護者から
風船を取り、用意して
おいた段ボール箱に、
取った風船を入れます。

準備

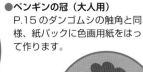

●ペンギンの冠（大人用）
P.15のダンゴムシの触角と同様、紙パックに色画用紙をはって作ります。

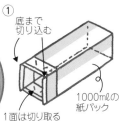

紙パックを裏返して内側の白い面を表にし、とさかが付けられるように作ります。

保護者はペンギン、子どもはニワトリの衣装を着ます。

●ニワトリの衣装（子ども用）
レジ袋の底を切って作ります。

●ニワトリの冠（子ども用）
① 底まで切り込む
1000mℓの紙パック
1面は切り取る

●ペンギンの衣装（大人用）

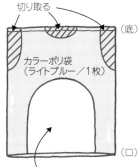

切り取る
（底）
カラーポリ袋（ライトブルー／1枚）
（口）
カラーポリ袋（白）を形に切って、セロハンテープか両面テープではる

●風船
●風船を入れる段ボール箱

② 内側の白い面を表にして箱を折り直す
折ってかぶせ、白のガムテープではる
重ねてガムテープではる

前後の向きを変える

③ 折ってはる
はる
※目、くちばし、とさかは色画用紙

③ 全ての風船を箱に入れ終わるまで行います。

普段の保育で
●保育者が足の間に風船を挟んで逃げ、子どもが風船を取るあそびを楽しみましょう。
●風船をしまう箱を用意して、あそんだ後は、箱に入れる片付けあそびをしましょう。

2 歳児

保護者とのふれあいを楽しむ
ケロケロ大冒険

カエルになった子どもが保護者と手をつないで、ハスの上をジャンプして渡ります。保護者とふれあいながら楽しめる種目です。

案・指導／すかんぽ

ぴょん！

ぴょん！

あそび方

①

子どもと保護者がペアになり、手をつないで「スタート」の合図でＡまで走ります。

②

Ａに来たら、保護者と手をつないだまま、子どもはジャンプしてハスの枠からハスの枠へ跳び移ります。

会場配置

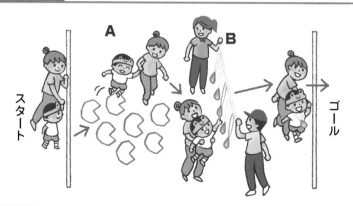

スタート

Ａ

Ｂ

ゴール

Ａ　段ボール板で作ったハスの枠を並べておく。

Ｂ　雨粒ペンダントの布リボンを、セロハンテープで軽く留めて下げた綿ロープの両端を保育者が持って立つ。

準備

●ケロケロ帽子

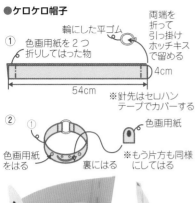

① 色画用紙を2つ折りにしてはった物

輪にした平ゴム

両端を折って引っ掛けホッチキスで留める

4cm

54cm

※針先はセロハンテープでカバーする

②

① 色画用紙をはる

色画用紙

裏にはる

※もう片方も同様にしてはる

子どもはケロケロ帽子をかぶってカエルに変身。

●雨粒ペンダント

柔らかくて光沢のある保冷シートを使って、雨粒にします。

① 丸めたティッシュ

重ねて縁をホログラムテープではる

保冷シートを切った物

保冷シートを切った物

② 油性ペンで描く

布リボン

セロハンテープで裏にはる

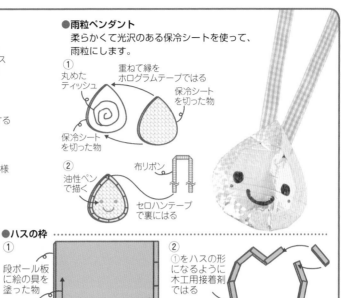

●ハスの枠

① 段ボール板に絵の具を塗った物

目の方向

乾いたら切る

② ①をハスの形になるように木工用接着剤ではる

❸ ハスの枠を跳び終えたら、子どもは保護者にだっこしてもらい、雨粒を1つ取ります。

❹ 子どもは保護者に雨粒のペンダントを掛けてもらい、2人で手をつないでゴールまで走ります。

🔖 普段の保育で

●跳ねたり、鳴いたりするなど、カエルちゃんごっこを子どもたちと楽しみます。ケロケロ帽子も、アイテムの一つとして用意しておくといいですね。

●カエルちゃんごっこを十分満喫してから、「さらに冒険に出発！」ということで、ハスのジャンプも練習ではなく、普段の生活の中にセットしておきましょう。冒険気分で一緒にジャンプを楽しむ経験をできるようにするといいですね。

2歳児

モンキー帽子に載せて楽しい
フルーツ運びレース

親子でおそろいのモンキー帽子をかぶり、お互いの頭にフルーツを載せ合います。保護者が子どもをだっこしてゴール。

案・指導／リボングラス

あそび方

①「スタート」の合図で、保護者と子どもが手をつないで走る。

普段の保育で

● モンキー帽子をかぶって、保育者や友達にフルーツを載せてもらったり、保育者や友達のモンキー帽子にフルーツを載せたりしてあそびましょう。
●「フルーツを落とさずに歩けるかな？」と言ってあそんでも楽しいですね。

会場配置

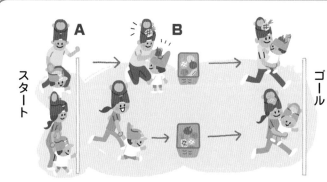

スタート

ゴール

A 親子でモンキー帽子をかぶり、手をつないで、スタート準備をする。

B フルーツを入れたかご、または段ボール箱を置いておく。

準備

● **モンキー帽子**
カラー工作紙に平ゴムを付けたモンキー帽子。バンドの部分を手に見立てます。フルーツが載るように、手の幅は広くします。

色画用紙をはった
カラー工作紙
※頭の大きさに
合わせる

平ゴム

折って引っ掛け、
ホッチキスで留める
※針先はセロハンテープで
カバーする

● **フルーツ**
フルーツは、綿をカラーポリ袋で包み、ビニールテープで模様をはってカラフルに作るといいですね。

● **フルーツを入れるかご、または段ボール箱**

2 好きなフルーツを選び、
お互いの頭に載せる。

3 保護者は子どもをだっこして、フルーツを落とさないように走ってゴール。

2歳児

力を合わせて洗濯完了！

洗濯ジャブジャブ

手先も器用になった子どもたち。洗濯物を
洗濯ばさみで挟んで、しっかり干せるかな？
子どもの成長が感じられる種目です。

案・指導／ジャイアンとばば

普段の保育で

● 洗濯ばさみを長くつないであ
そんでみたり、保育室でハン
カチやタオルを干す洗濯ごっ
こを楽しんだりして、子ども
たちの期待を膨らませます。
● 洗濯物は、子どもたちが色を
塗ったり、シールをはったり
して、一緒に作ると楽しいで
すね。

あそび方

①

子どもと保護者は手
をつないでスタート
します。

会場配置

スタート　Ａ　Ｂ　ゴール

Ａ ビニールプールなどにすずらん
テープを入れて水に見立て、色
画用紙で作った洗濯物を入れて
おく。

Ｂ ロープの両端を保育者が持ち、
ピンと張り渡す。洗濯ばさみは
あらかじめロープに付けて準備
しておく。

準 備

●洗濯物

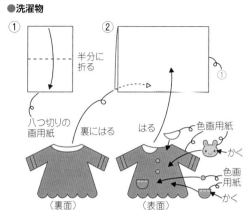

① 半分に折る

② ①

八つ切りの画用紙
裏にはる
はる
色画用紙
かく
色画用紙
かく
（裏面）
（表面）

※パンツやTシャツなども同様にして数種類作る

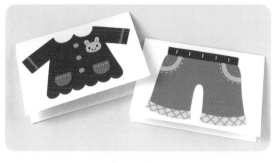

●ビニールプール
●すずらんテープを適当な長さに切った物
●ロープと洗濯ばさみ

2 Aまで行ったら、子どもが好きな洗濯物を1つ選んで持ち、Bまで走ります。

3 保護者が子どもをだっこし、子どもはロープに洗濯物を掛けて洗濯ばさみで留め、手をつないでゴールします。

膨らんだシートを踏んづけて

魚をキャッチ＆リリース

空気をはらませたブルーシートの海に入っていって、捕った魚を放します。最後は、ブルーシートに載せた魚をみんなで運ぶ種目です。

（案・指導／南 夢未（あそび工房ゆめみ））

あそび方

①

ブルーシートの上に置いた魚を子どもが捕りにいき、捕まえた魚を持ってシートの外に出ます。保護者はシートの外から見守ります。

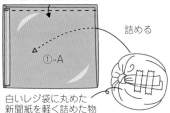

準備

●カラーポリロールで作った魚

① カラーポリロール

65 cm
A
40cm
切る

② 2辺を折ってセロハンテープではり留め、袋状にする

①-A
詰める

白いレジ袋に丸めた新聞紙を軽く詰めた物

●ブルーシート

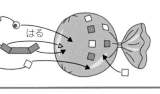

③

両角をねじって裏側に折り、セロハンテープではり、丸くする

セロハンテープを巻く

④
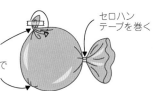
直径20mmに9mmをはり合わせた丸シール
はる

ビニールテープ

※反対側も同様に作る

82

②

ブルーシートの周りに保護者が並び、全員でシートの縁を持って、一度持ち上げてから下ろすようにして、空気をはらませます。魚を持った子どもたちが、シートにできた空気の山を踏んづけるようにして、入ります。「みんな、お魚さんを海に放してあげて！」という保育者のかけ声で、子どもたちが魚をブルーシートの上に置き、シートの外に出ます。

🎤 **アナウンスのヒント1**

波立つ海に元気に飛び込んで、魚を放す子どもたちに拍手をお願いします。

🎤 **アナウンスのヒント2**

魚を逃がさないように、みんなで協力して運びます。

③ 親子で一緒にシートの縁を持ち、みんなで魚を運んで退場します。

普段の保育で

● ブルーシートを広げて、海に見立ててバタバタ揺らし、その上で寝っ転がったり、風船をポンポンしたりしてあそびましょう。保育者と泳ぐまねをしてあそぶのもいいですね。

● 子どもたちとブルーシートを持って、風船を落とさないように歩いたり、ブルーシートを揺らしてあそびましょう。飛び出した風船を急いでブルーシートに投げ入れるのも楽しいですね。

さいころとの色合わせを楽しむ

おんなじおんなじ

色さいころを振って、出た目と同じ色の耳バンドとベストを身に着ける、色に興味のある2歳児にぴったりの種目です。最後は、自分と同じ色の物を身に着けたクマさんカードを、保護者と一緒に見つけてゴール。ゲットした耳バンドやベスト、カードはプレゼントにします。

案・指導／南 夢未（あそび工房ゆめみ）

普段の保育で

●段ボール板で作った色さいころを投げて出た色と、同じ色の物を探してあそんでみましょう。「赤集め」など、色への関心を高めるあそびを繰り返し楽しみましょう。

●さいころの色と物の色が同じだと、なかなか気づけない子もいます。無理せずに保育者が、さいころと物を近づけながら、優しく伝えていきましょう。

●ベストを着るのを嫌がる子もいるので、保育者も一緒に着ながら楽しみましょう。

あそび方

1 保護者と手をつないで一緒にAまで行き、子どもが色さいころを持って投げます。

2

色さいころで出た色と同じ色のクマさんの耳バンドを見つけて、帽子の上にかぶります。

3 ❶と同様に、もう一度色さいころを持って投げます。

会場配置

A	B	C	D	E	
スタート				ゴール	

A　色さいころを置いておく。
B　さいころの色と同じ3色のクマさんの耳バンドを置いておく。
C　色さいころを置いておく。
D　さいころの色と同じ3色のベストを置いておく。
E　クマさんカードを並べて置いておく。

準 備

●段ボール板で作った色さいころ

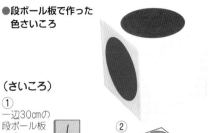

（さいころ）

① 一辺30cmの段ボール板

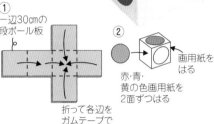

② 画用紙をはる

赤・青・黄の色画用紙を2面ずつはる

折って各辺をガムテープではり留める

●クマさんの耳バンドと不織布のベスト

子どもの人数に合わせて、赤・青・黄を各色多めに用意しておき、1組が身に着けたら、なくなった色の物を補充します。

（クマさんの耳バンド）

色画用紙

約3.5cm

内側にはる

※作り方はP.27参照

（ベスト）

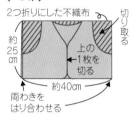

2つ折りにした不織布

切り取る

約25cm

上の1枚を切る

約40cm

両わきをはり合わせる

●クマさんカード

P.111の型紙を拡大コピーして、9種類の色の組み合わせをクレヨンなどで彩色して作ります。それをカラーコピーして、多めに用意し、会場には9種類×2セット＝18枚を並べておきます。子どもが取った色のカードは、保育者が随時補充します。

④

色さいころで出た色と同じ色のベストを見つけて、子どもが自分で着ます。

⑤

子どもが身に着けているクマさんの耳バンドとベストと同じ色の組み合わせのクマさんカードを保護者と一緒に見つけ、子どもが持ってゴールします。

型紙 P.111

2歳児

役割分担のルールが楽しい

たま〜に入るよ玉入れ

子どもが運んできた玉を、親がかごめがけて投げ込みます。単純な
玉入れですが、親子の役割がはっきりしていて、おもしろい種目です。

案・指導／ジャイアンとばば

会場配置

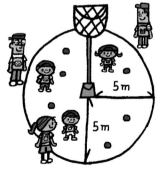

5m
5m

玉入れのかごを設置し、かごから半径
５メートルくらいの円をかく。

あそび方

　２チームに分かれて競います。保護者は円の
外側に立ち、子どもは玉を集めて保護者に運
びます。保護者は円の外側から、子どもが運
んでくれた玉しか投げられないルールで玉入
れをします。

普段の保育で

●お片付けのときに「人形は○○先生、ブロックは△△先生に届けよう」と言って運んでもらったり、ボールなどを使って宅配便屋さんごっこをしたりしてあそびましょう。

●いずれの場合も受け取るときは「ありがとう」の気持ちを伝えるのを忘れずに。

親子は、子どもの個人マークなどを付けたおそろいのゼッケンを着けます。

準 備

●玉入れのかごと紅白玉

●おそろいゼッケン

（子ども用）

※子どもの体に合わせて袋の大きさを選ぶ　レジ袋

色画用紙

両面テープではる

切る

※裏にも同様にはる

（大人用）

① 2cm　わの部分を使う

約26cm　約30cm　カラーポリロール

※同様にして2枚作る　折ってセロハンテープではる

② 布リボン

セロハンテープではる

色画用紙

（裏）　①　（表）

両面テープではる

※裏にも同様にはる

布リボン

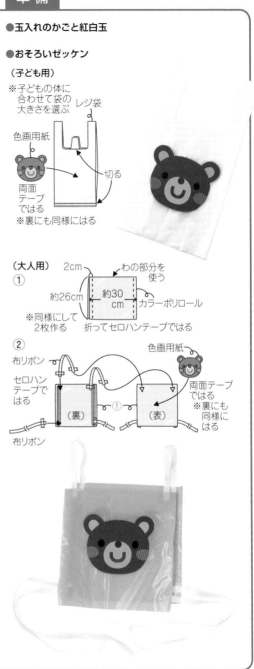

親子で協力してゲット
秋の味覚、収穫祭

サンマ、キノコ、カキ……親子で一緒に秋の味覚をたくさん収穫して楽しみましょう。うまく協力してできるかな？　すべて収穫できたら、みんなで歓声をあげ、収穫のお祝いをする種目です。

案・指導／おおしまやすし

普段の保育で

● 大きめのタオルやレジャーシートを使ってみんなで持ち、バサバサと揺らしてあそんだり、いろいろな物を載せ、移動させてあそんでみましょう。

あそび方

親子でフェイスタオルの両端を持って**B**に移動し、子どもが収穫物を1つ取り、タオルに載せます。

サンマは「青色ボックス」、キノコは「茶色ボックス」、カキは「オレンジ色ボックス」へ、親子でフェイスタオルの両端を持って一緒に運びます。

ボックスに収穫物を入れます。

会場配置

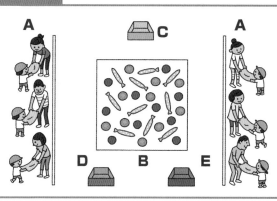

A　親子でタオルの両端を持ってスタート準備をする。

B　中央にレジャーシートなどを敷いて、サンマ、キノコ、カキを置いておく。

C　サンマボックス（青）を置いておく。

D　カキボックス（オレンジ）を置いておく。

E　キノコボックス（茶）を置いておく。

準備

- ●**フェイスタオル**
  子どもの人数分を用意します。

- ●**カラーポリ袋で作った サンマ、キノコ、カキ**
  親子8組に対して、それぞれ10個で計30個。1組あたり3〜5個拾えるくらいの数を用意します。

- ●**レジャーシート**

- ●**青色のサンマボックス、茶色のキノコボックス、オレンジ色のカキボックス**
  段ボール箱に色画用紙をはります。

（キノコ）

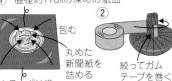

① 直径約17cmの深めの紙皿
包む
丸めた新聞紙を詰める
カラーポリ袋

② 絞ってガムテープを巻く

（サンマ）

① 先を折ってセロハンテープではる
カラーポリ袋で作った細長い袋に新聞紙を詰めた物

② ミラーテープ・のり付をはる
絞ってセロハンテープを巻く
丸シールをはる

※カキは丸めた新聞紙をカラーポリ袋で包んで色画用紙のへたを両面テープではる

---

④ ボックスに収穫物を入れ終わったら、また別の物を収穫しに戻り、同様に繰り返します。

---

⑤

全ての物をボックスに入れることができたら終了。「収穫できた!」という喜びを分かち合えるように全員で歓声をあげ、親子でタッチしたり、保護者が子どもをだっこしてグルグル回り、収穫をお祝いします。組数が多いときは、2回に分けて行い、お祝いは合同で行いましょう。

おなじみの歌で、お手伝いを楽しむ

届けて！ かもつれっしゃ

2歳児は、クラスでのお手伝いが大好き。普段からしているお手伝い（お届け）を種目にしてみました。マイクを使ったアナウンスで、子どもたちの気持ちを盛り上げましょう。

この BGMを 流して

「かもつれっしゃ」
作詞／山川啓介
作曲／若松正司

案・指導／ジャイアンとばば

あそび方

❶

はさみ、クレヨン、のりの中から好きなお面を選んで着け、フープを持った子どもたちは、それぞれのスタート位置に並んで待機します。

アナウンスのヒント1

園長（または担任）の「困ったわ。はさみとクレヨン、のりが使いたいけれど、だれか届けてくれないかしら？　お願いしま〜す！」のかけ声に合わせて、子どもたちみんなが元気に「は〜い！」と返事をしてスタートします。

会場配置

A　スタート
B
C　ゴール

A はさみ、クレヨン、のりのお面を着け、フープを持つ。スタート位置は、それぞれ別にする。

B 保育者が、面ファスナーの連結具を持って立っている。

C ゴールには「〇〇ほいくえんえき」の駅名標を置いて、園長、または担任の保育者が立っている。

2

ポイント

連結するのは、3人までにします。2人なら手をつないでもOKですが、3人の場合は、連結具などを使ってつながるのがよいでしょう。

Bまで歩いてきたら、保育者が面ファスナーの連結具を使ってフープ同士をつなぎ、友達とつながります。つながりたくない子は、そのまま1人で歩いてもOKです。

3

ゴールで待っている保育者の所まで行きます。

アナウンスのヒント2

全員が到着したら、最後に保育者が「荷物が無事に届いて、助かったわ。みんなありがとう！」と言って感謝します。

準備

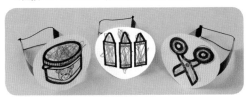

●はさみ、クレヨン、のりのお面
はさみ、クレヨン、のりの線画に、子どもたちがクレヨンなどで色を塗ります。子どもの帽子に輪にしたガムテープで直接はってもOK。作り方はP.27参照。

●フープ（直径約40㎝）
●面ファスナーの連結具
面ファスナーの柔らかい物の先に、硬い物が付いて1本になっている物を使うと便利。100円ショップで売っています。

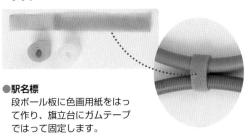

●駅名標
段ボール板に色画用紙をはって作り、旗立台にガムテープではって固定します。

普段の保育で

●新聞紙で作った輪などを使って、室内や園庭などで電車ごっこを楽しみましょう。柔らかいので、転んだり、友達とぶつかったりしても安全です。

●普段から「かもつれっしゃ」の歌をうたいながら、自由に動き回る楽しさを味わいましょう。

●職員室やほかの保育室の保育者へ、届け物をするあそびなどを楽しみます。

2歳児

みんなで一緒に追いかけっこ
待て待てミノムシマン

友達への関心が芽生える2歳児。集団で走って、追いかけて、大人と子どもが楽しさを共有できます。保護者が見て楽しめる種目です。

案・指導／高崎温美（あそび工房らいおんバス）

あそび方

① スタートの合図で、ミノムシマンは会場を逃げ回り、白チームは、赤ミノムシマンのすずらんテープを、赤チームは、白ミノムシマンのすずらんテープを取ります。ミノムシマンは、子どもの様子を見ながら逃げるスピードを調節しましょう。

待て〜

待て〜　とった！

会場配置

赤ミノムシマン　白ミノムシマン

子ども
白チーム

子ども
赤チーム

子どもは、赤・白の2チームに分かれる。保育者2人が、赤ミノムシマンと白ミノムシマンになり、会場の中央に立つ。

準 備

● **ミノムシマンの衣装**
引っ張ったときに取れやすいよう、服の上から、カラーガムテープですずらんテープ（長さ約50cm）をはり付けます。子どもの人数に合わせて、おなかや腰の辺りにもはって、テープの本数を増やしましょう。

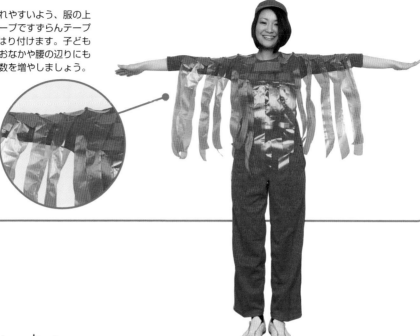

無くなっちゃった！

やった〜！

② 早くミノムシマンのすずらんテープを全部取ったチームが勝ちです。

▶ **普段の保育で**

● 保育者が、体のいろいろな所にすずらんテープをはり付けて逃げ回り、子どもが取る追いかけっこあそびを、園庭などで楽しみましょう。

2 歳児

93

木の実の玉を投げて楽しむ

森の妖精がやってきた

保育者が森の妖精ボードを持って走り回り、子どもたちは追いかけながら木の実（玉）を投げてくっつけます。木の実がいっぱいになった妖精さんと子どもたちは仲良しになる、というストーリーの種目です。

案・指導／伊藤利雄

ポイント

● 玉を握って投げる際、腕の力や握力を育みます。
● 森の妖精を追いかけて走りながら投げる際、動的な身体バランスを育みます。
● 玉と的（森の妖精）との関係性の中で、空間認識能力を育みます。

あそび方

1

スタートした子どもたちは**B**に行きます。保育者は、段ボール箱の中から木の実を取り出し、子どもたち1人に1個ずつ手渡しします。

2 「みんな、木の実を付けてあげて！」のアナウンスで、子どもたちは、**B**の保育者と一緒に森の妖精に木の実を投げます。くっつかなかったときは、シートの上に落ちている実を拾ったり、**B**の保育者の所に戻って実をもらったりして、また投げます。

会場配置

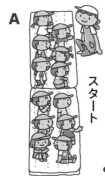

A マットの上に座って、スタートを待つ。
B 木の実が入った段ボール箱を3個置いて、それぞれに保育者がつく。
C 森の妖精は、ブルーシートの上を歩き回る。

準 備

●森の妖精ボード

表は、段ボール板に色画用紙をはって作り、透明な強力両面テープをはっておきます。保育者が持って歩けるように、裏に持ち手を付け、のぞき穴を開けます。

① 段ボール板に色画用紙をはって形に切る

幅5cmの透明な強力両面テープをはる

直径10cmの円を切り抜く

約115cm

約75cm

裏返す

② カラーセロハンをガムテープではる

ガムテープではる

結ぶ

長さ約23cmの布リボン

●木の実

市販のカラーボールを利用します。
子ども1人に2個くらいで人数分より多めに用意。

●木の実を入れておく段ボール箱

●ブルーシート　●マット

3 たくさんの実がくっついたところで終了にし、最後は、森の妖精の周りに集まって、仲良く一緒に退場します。投げてもたくさんの実がくっつかない場合は、最後に直接くっつけても OK。

🎤 **アナウンスのヒント**

「みんなのおかげで、カラフルな実がこんなにいっぱいなりました」「森の妖精さんと子どもたちは、とっても仲良し。皆さん温かい拍手をお願いします」などのアナウンスをするといいでしょう。

普段の保育で

●保育者と向かい合って、お手玉やカラーボールなどを投げ合ってあそびましょう。
●投げることに興味・関心を持ちはじめたら、固定した妖精ボードに向かって投げることを楽しみ、慣れてきたら、保育者がボードを持って移動してみましょう。

2 歳児

飛んで跳ねて、ウサギになりきろう
ぴょんぴょんレース

ウサギに変身した子どもたちの
大冒険。体をいっぱい動かして、
ジャンプ！　ジャンプ！　元気
いっぱいの種目です。

案・指導／ジャイアンとばば

あそび方

1 保育者の合図でスタートします。巧技台に上り、ジャンプして降ります。

普段の保育で

● 新聞紙で作ったフープを保育室に並べて、ジャンプで入ったり、出たり、ウサギになりきっていっぱいジャンプしてあそびましょう。園庭では、ウサギジャンプで競走！

● 一人でうまくジャンプできない子には、保育者が手をつなぎ、一緒に跳んで楽しめるようにします。

会場配置

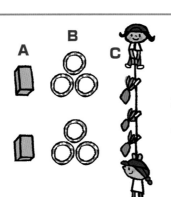

スタート　ゴール

A　巧技台を置く。
B　フープを3つ並べて置く。
C　ロープに洗濯ばさみでニンジンを下げ、両端を保育者が持つ。

準 備

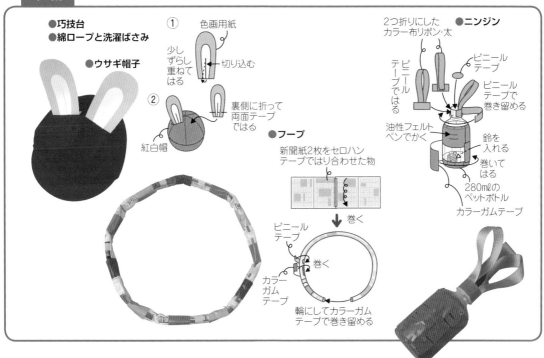

●巧技台
●綿ロープと洗濯ばさみ

●ウサギ帽子

① 色画用紙
少しずらし重ねてはる
切り込む

② 裏側に折って両面テープではる

紅白帽

●ニンジン

2つ折りにしたカラー布リボン・太
ビニールテープではる
ビニールテープ
ビニールテープで巻き留める
油性フェルトペンでかく
鈴を入れる
巻いてはる
280mlのペットボトル
カラーガムテープ

●フープ

新聞紙2枚をセロハンテープではり合わせた物

巻く

ビニールテープ
巻く
カラーガムテープ
輪にしてカラーガムテープで巻き留める

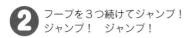

② フープを3つ続けてジャンプ！ジャンプ！ ジャンプ！

③ ニンジンを取り、ゴールします。取ったニンジンはお土産にして持ち帰ってもいいですね。

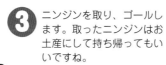

棒にぶら下がっての移動を楽しむ

ゴーゴー！ 川渡り

大きな魚やワニがいる川に落ちないように、棒にぶら下がって渡れるかな？　握る力や、足が地面にふれないように腹筋や背筋を使ってコントロールする姿を披露する種目です。

案・指導／伊藤利雄

準 備

- ●ブルーシート
  川の水のイメージでマットの下に敷きます。
- ●マット
  川や川岸、待機場所として使います。
- ●直径約3㎝×長さ約1.5mの竹、
  または木の丸棒
- ●色画用紙を切って作った大きな魚とワニ
  保育者が作った物に、子どもたちがクレヨンや絵の具で色を塗ってもOK。川のマットに両面テープではります。

会場配置

A マット2枚を並べ、子どもたちの待機場所にする。

B つなげたマット2枚を川に、その両端に川岸に見立てたマットを1枚ずつ置く。手前の川岸には、保育者2人が棒を持って立つ。

C マット2枚を並べ、川を渡り終えた子どもたちの待機場所にする。

あそび方

1 Aの待機場所から、1人ずつBの川岸まで行き、棒をしっかりと握ります。

アナウンスのヒント

「ここは大きな魚やワニが泳いでいる川です。川に落ちたら食べられちゃうよ。みんな、落ちないように棒にしっかりとつかまってぶら下がろう。向こう岸に着くまで離さないようにして渡ってね」と子どもたちに声をかけます。

2 保育者2人が棒を持ち上げ、子どもがぶら下がった状態で川の両サイドをゆっくりと歩いて、向こう岸まで渡ります。

ポイント1

「おサルさんの手で持ってね」と声をかけ、子どもは親指が棒の下側にくるように握ります。「持ち上げるよ」と声かけをしてから持ち上げましょう。

ポイント2

大きな魚やワニがはってあると、目をつむらずに下をちゃんと見て、見通しをもって川を渡ることができます。

3 川を渡り終えたら、両足がマットに着いてから、棒を握っていた手を離し、Cの待機場所へ行きます。

普段の保育で

● はじめは、保育者の両手に子どもがつかまり、無理に引き上げるのでなく、子どもが自分でぶら下がる感覚を楽しめるようにしてあそびましょう。

● 慣れてきたら、鉄棒や竹棒のぶら下がりに挑戦。木にぶら下がったサルの絵や写真を見せ、「おサルさんになって、ぶら下がろうね」と言葉かけして、ぶら下がることへの興味・関心を引き出します。

2歳児

お盆に載せて、落とさないように届ける
お料理、運びましょう

ウェイター、ウェイトレスになって、お料理をお盆に載せ、落とさないように保育者の所まで運びます。だんだんとバランス感覚も育ってきた子どもたちが挑戦して楽しめる種目です。

案・指導／おおしまやすし

普段の保育で

● ままごとあそびにもお盆を取り入れ、作った料理をお盆に載せて、運ぶあそびを体験してみましょう。

● 色や食べ物など、さまざまなカードを用意します。保育者の言ったカードを、かるたのように見つけるあそびも楽しんでみてください。

あそび方

① 合図でスタートした子どもは、エプロンを着け、お盆を持ちます。

② 好きなメニューカードを1枚めくり、運ぶお料理を確認します。

会場配置

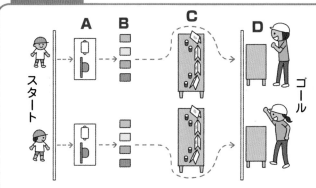

A　エプロンとお盆を置く。
B　メニューカードを裏返して並べておく。
C　テーブルの上にお料理スタンドと、紙コップを並べておく。
D　保育者がテーブルの後ろに立って待つ。

準備

●**エプロン**
不織布に輪にした平ゴムを付けます。

① 約25cm
約26cm
2つ折りにした不織布
切り取る
カラー布ガムテープ

② 平ゴムを通して結ぶ
約3cm折って（裏）から布ガムテープではる

●**お盆**　100円ショップなどで扱っている物。
●**メニューカード**
スパゲティー、ハンバーグ、ラーメン、オムライスの4種類を用意します。
●**お料理スタンド**
カラー工作紙を三角に組み立てた物に、メニューカードと同じ絵を表裏にはります。
●**紙コップ**
●**お料理を並べて置いておくテーブル**
●**お料理を運び終えて置くテーブル**

お料理スタンド

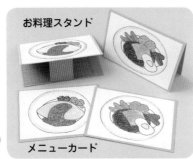

メニューカード

型紙
P.110

※エプロン、お盆、お料理スタンド、紙コップは、子どもの人数分を用意しなくても、少し多めに用意して、子どもがゴールしたら保育者がそれぞれの地点に戻すのでもOKです。

メニューカードとお料理スタンドは、型紙を拡大コピーして、クレヨンなどで彩色し、カラー工作紙にはって作ります。

❸ テーブルの上に並んだお料理スタンドの中から、❷で確認したメニューカードと同じ物と、紙コップをお盆に載せます。

❹ テーブルの横を回って、ゴールで待っている保育者の所まで、落とさないように運びます。

❺ テーブルの上にお料理スタンドと紙コップを置いて、保育者に「どうぞ！」をしたら、ゴール。

2歳児

転がって、くぐって、跳び越えて

どんぐりころころ

どんぐりになった子どもたちが、マットの上を
転がり、すずらんテープの池をくぐり、ロープ
のドジョウを跳び越えてゴールします。

案・指導／南 夢未 (あそび工房ゆめみ)

普段の保育で

- マットを端から端へ転がるのは、
  子どもにはなかなか難しいので、
  はじめは子どもの腰に保育者が手
  を添えて転がしてサポートしまし
  ょう。
- ロープのドジョウを跳び越えるの
  は難しいので、はじめは保育者が
  片手をつなぐと、ジャンプしやす
  くなります。ロープに足を引っ掛
  けないように、保育者は子どもが
  跳ぶときはロープを動かさないよ
  うにします。

会場配置

A　マットを置く。
B　保育者2名が、2本のすずらん
　　テープの池を持って立つ。
C　保育者2名が、ロープの両端をも
　　ち、くねくねと揺らす。

準備

- ●**マット**
- ●**すずらんテープの池**
  すずらんテープを2つ折りにし、綿ロープに折り山を引っ掛けて、端を通すようにして結ぶといいでしょう。
- ●**ロープ**

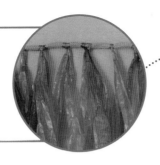

あそび方

① マットの上を転がります。

② 保育者2名がロープの両端を持って垂らした、すずらんテープの池をくぐります。

③ 保育者2名がロープをくねくねと揺らします。子どもは、揺れているロープを跳び越えてゴールします。

アナウンスのヒント

どんぐりになった子どもたち。マットを上手に転がって、すずらんテープの池をくぐり、ロープのドジョウを跳び越えて、大冒険する元気な姿をご覧ください。

こんなBGMを流しても

「どんぐりころころ」
作詞／青木存義
作曲／梁田 貞

2歳児

103

タケノコの運び方に個性が出る

竹とり物語

大きなタケノコを、子どもたちが運びます。運び方にも子どもたち一人一人の個性が出るのが楽しいですね。

案・指導／福田りゅうぞう・すかんぽ

タケノコはいくつ持ってもOK。1個を大切に運ぶ子もいれば、2〜3個を抱えて運ぶ子も。

あそび方

① タケノコちゃん帽子をかぶった子どもが4〜5人ずつ横に並び、保育者の「タケノコ取るど〜!!」の掛け声でスタート。**A**まで行って、タケノコを取ります。

▶ 普段の保育で

● 保育室のいろいろな所にタケノコを置き、子どもたちとタケノコ探しを楽しみましょう。毎日タケノコの場所を変えたり、布などをかぶせておいたりすると、楽しさが倍増します。

● 見つけたタケノコを入れる箱を用意しておき、あそびながら「運ぶ」ことも楽しみましょう。

会場配置

A タケノコを10個くらい並べておく。

B 竹やぶに見立てた、すずらんテープのカーテンの両端を保育者が持って立つ。

準 備

●タケノコ

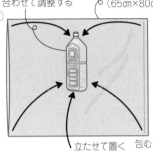

① 水を入れた2ℓのペットボトル
※水の量は子どもたちに合わせて調整する
カラーポリ袋（65cm×80cm）
立たせて置く　包む

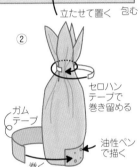

② セロハンテープで巻き留める
ガムテープ
油性ペンで描く
巻く

ペットボトルの中に水を入れ、重さを調節します。いろいろな重さのタケノコを作るとおもしろいでしょう。

●すずらんテープの竹やぶ
綿ロープにすずらんテープを結びます。作り方はP.103を参照。

●タケノコちゃん帽子
平ゴムを付けたカラー工作紙のバンドに、色画用紙のタケノコをはりました。バンドの作り方はP.27参照。

タケノコのアレンジ

カラーコーンにビニールテープをはってタケノコにしても。

②

すずらんテープの竹やぶをくぐってゴールします。まだタケノコが残っていたら、再度取りに行ってもOK。

ネズミになりきってあそぶ
はらぺこでチュー

チーズのトンネルをくぐったり、ピザの具を拾って、段ボール板のネズミさんに食べさせたり、はらぺこネズミさんが大活躍の種目です。

案・指導／ジャイアンとぱぱ

あそび方

1 カラー帽子にネズミの耳をはり付け、すずらんテープのしっぽをズボンの後ろに挟んで、ネズミになってスタートします。

2 チーズのトンネルをくぐります。

会場配置

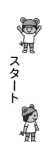

スタート　　A　　B　　C　　ゴール

A　段ボール箱で作った、チーズのトンネルを置く。

B　レジャーシートのピザ生地の上に、トマト、ハム、ピーマンなど、カラー工作紙を切った具を置く。

C　段ボール板で作ったネズミを置く。

準 備

● **ネズミの耳としっぽ**
耳は、色画用紙で作り、ガムテープでカラー帽子にはり付けます。しっぽは、すずらんテープを三つ編みにして、先に布リボンを結びます。

● **段ボール箱で作る
チーズのトンネル**

● **ピザ**
レジャーシートの四隅を折って、カラーガムテープで留めて八角形にし、ピザ生地に見立てます。トマトやハムなどの具は、カラー工作紙を2枚合わせにして形に切り、シートの上に並べます。

● **ネズミ**
段ボール板を三角に折って、耳をはり付け、口を切り抜きます。三角の内側に食べさせた物が入る紙袋を置き、中に水を入れたペットボトルなどの重しを入れておきます。

①
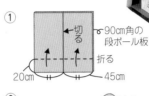
切る
90cm角の段ボール板
折る
20cm　45cm

②
はる　はる
底を少しずらしてはり合わせる
切り抜く
約30cm　色画用紙をはる
カラー工作紙に色画用紙をはる

③ ピザの具を取ります。

④ ネズミの口に入れて、食べさせてからゴールします。

便利に使える 型紙

本書で紹介している、運動会メニューの製作物の型紙です。作りたい大きさに拡大コピーして使ってください。拡大率を計算すると、無駄なくコピーすることができます。

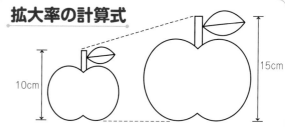

拡大率の計算式

「作りたい大きさ÷型紙の大きさ×100」

例えば、高さ10cmの型紙を15cmに拡大したい場合は、15÷10×100＝150で150%の拡大コピーになります。

`P.26~27` **変身！ 動物親子**

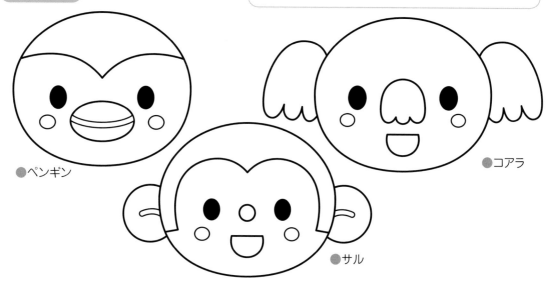

●ペンギン

●コアラ

●サル

`P.36~37` **アリの親子** ●果物の絵カード（イチゴ、バナナ、リンゴ）

P.44~45 はじめてのおつかい

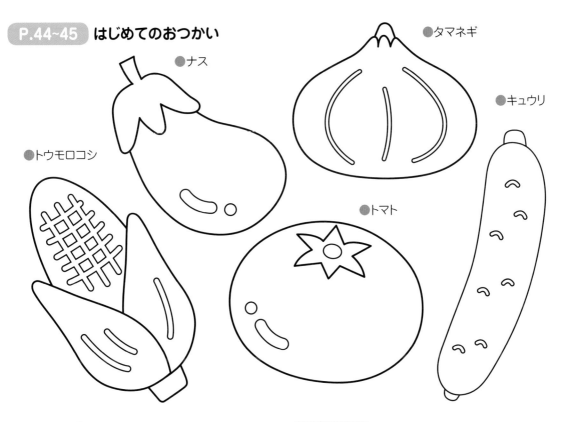

●ナス

●タマネギ

●キュウリ

●トウモロコシ

●トマト

P.34~35 進め！トマトちゃん

●トマトの絵カード

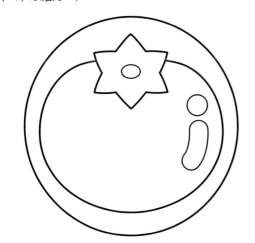

P.46~47 花畑をお散歩 & ジャンプ

P.68~69 ハチがとブン！

●花

P.54~55 やっぱり一緒は楽しいね

●コアラ　　　　　　　　　　　　　●ペンギン

P.100~101 お料理、運びましょう

●スパゲティー　　　　　　　　　●ハンバーグ

P.60~61 **お〜いかばくん**

●かばくんのお面

P.84~85 **おんなじおんなじ**

●クマさんカード

●ラーメン

●オムライス

案・執筆

伊藤利雄　おおしまやすし　小倉げんき　小沢かづと　ジャイアンとぱぱ
すかんぽ　高崎温美　福田りゅうぞう　南夢未　リボングラス　（五十音順）

STAFF

●表紙・カバーデザイン・イラスト／長谷川由美
●本文デザイン／福田みよこ
●製作／会田暁子　浅沼聖子　くらたみちこ　田村由香　やべりえ
●イラスト／有栖サチコ　いとう・なつこ　ハセチャコ　ひのあけみ　町塚かおり
　みやれいこ　やまおかゆか　やまざきかおり　わたいしおり
●作り方イラスト／浅沼聖子　小早川真澄　高橋美紀　neco　渡辺ゆかり
●型紙データ／会田暁子　浅沼聖子
●型紙トレース／福田みよこ
●撮影／GOOD MORNING（戸高康博　櫻井紀子）　冨樫東正　本田織恵
●モデル／クラージュ・キッズ　クラージュ　クレヨン　スペースクラフト・ジュニア
　大嶋里奈　櫻井紀子　冨樫東正
●編集制作／リボングラス（若尾さや子　加藤めぐみ　森川比果里）
●校閲／草樹社